LE PILOTE DU DANUBE

Jules Verne

Contact : infos@culturea.fr
ISBN : 979-10-418-2254-6
Legal deposit : July 2023

Roman

I - AU CONCOURS DE SIGMARINGEN.

Ce jour-là, samedi 5 août 1876, une foule nombreuse et bruyante remplissait le cabaret à l'enseigne du Rendez-vous des Pêcheurs. Chansons, cris, chocs des verres, applaudissements, exclamations se fondaient en un terrible vacarme que dominaient, à intervalles presque réguliers, ces hoch ! par lesquels a coutume de s'exprimer la joie allemande à son paroxysme.

Les fenêtres de ce cabaret donnaient directement sur le Danube, à l'extrémité de la charmante petite ville de Sigmaringen, capitale de l'enclave prussienne de Hohenzollern, située, presque à l'origine de ce grand fleuve de l'Europe centrale.

Obéissant à l'invitation de l'enseigne peinte en belles lettres gothiques au-dessus de la porte d'entrée, c'est là que s'étaient réunis les membres de la Ligue Danubienne, société internationale de pêcheurs appartenant aux diverses nationalités riveraines. Il n'est pas de joyeuse réunion sans notable beuverie. Aussi buvait-on de bonne bière de Munich et de bon vin de Hongrie à pleines chopes et à pleins verres. On fumait aussi, et la grande salle était tout obscurcie par la fumée odorante que les longues pipes crachaient sans relâche. Mais, si les sociétaires ne se voyaient plus, ils s'entendaient de reste, à moins qu'ils ne fussent sourds.

Calmes et silencieux dans l'exercice de leurs fonctions, les pêcheurs à la ligne sont, en effet, les gens les plus bruyants du monde dès qu'ils ont remisé leurs attributs. Pour raconter leurs hauts faits, ils valent les chasseurs, ce qui n'est pas peu dire.

On était à la fin d'un déjeuner des plus substantiels, qui avait rassemblé autour des tables du cabaret une centaine de convives, tous chevaliers de la gaule, enragés de la flotte, fanatiques de l'hameçon.

Les exercices de la matinée avaient sans doute singulièrement altéré leurs gosiers, à en juger par le nombre de bouteilles figurant au milieu de la desserte. Maintenant, c'était le tour des nombreuses liqueurs que les hommes ont imaginées pour succéder au café.

Trois heures après midi sonnaient, lorsque les convives, de plus en plus montés en couleur, quittèrent la table. Pour être franc, quelques-uns titubaient et n'auraient pu se passer complètement du secours de leurs voisins. Mais le plus grand nombre se tenaient fermes sur leurs jambes, en braves et solides habitués de ces longues séances épulatoires, qui se renouvelaient plusieurs fois dans l'année à propos des concours de la Ligue Danubienne.

De ces concours très suivis, très fêtés, grande était la réputation sur tout le cours du célèbre fleuve jaune, et non pas bleu comme le chante la fameuse valse de Strauss. Du duché de Bade, du Wurtemberg, de la Bavière, de l'Autriche, de la Hongrie, de la Roumanie, de la Serbie, et même des provinces turques de Bulgarie et de Bessarabie, les concurrents affluaient.

La Société comptait déjà cinq années d'existence. Très bien administrée par son Président, le Hongrois Miclesco, elle prospérait. Ses ressources toujours croissantes lui permettaient d'offrir des prix importants dans ses concours, et sa bannière étincelait des glorieuses médailles conquises de haute lutte sur des associations rivales. Très au courant de la législation relative à la pêche fluviale, son Comité directeur soutenait ses adhérents, tant contre l'État que contre les particuliers, et défendait leurs droits et privilèges avec cette ténacité, on pourrait dire cet entêtement professionnel, spécial au bipède que ses instincts de pêcheur à la ligne rendent digne d'être classé dans une catégorie particulière de l'humanité.

Le concours qui venait d'avoir lieu était le deuxième de cette année 1876.

Dès cinq heures du matin, les concurrents avaient quitté la ville pour gagner la rive gauche du Danube, un peu en aval de Sigmaringen. Ils portaient l'uniforme de la Société : blouse courte laissant aux mouvements toute leur liberté, pantalon engagé dans des bottes à forte semelle, casquette blanche à large visière. Bien entendu, ils possédaient la collection complète des divers engins énumérés au Manuel du Pêcheur : cannes, gaules, épuisettes, lignes empaquetées dans leur enveloppe de peau de daim, flotteurs, sondes, grains de plomb fondus de toutes tailles pour les plombées, mouches artificielles, cordonnet, crin de Florence. La pêche devait être libre, en ce sens que les poissons, quels qu'ils fussent, seraient de bonne prise, et chaque pêcheur pourrait amorcer sa place comme il l'entendrait.

A six heures sonnant, quatre-vingt-dix-sept concurrents exactement étaient à leur poste, la ligne flottante en main, prêts à lancer l'hameçon. Un coup de clairon donna le signal, et les quatre-vingt-dix-sept lignes se tendirent du même mouvement au-dessus du courant.

Le concours était doté de plusieurs prix, dont les deux premiers, d'une valeur de cent florins chacun, seraient attribués au pêcheur qui aurait le plus grand nombre de poissons et à celui qui capturerait la plus lourde pièce.

Il n'y eut aucun incident jusqu'au second coup de clairon, qui, à onze heures moins cinq, clôtura le concours. Chaque lot fut alors soumis au jury composé du Président Miclesco et de quatre membres de la Ligue Danubienne. Que ces hauts et puissants personnages prissent leur décision en toute impartialité et de telle sorte qu'aucune réclamation ne fut possible, bien qu'on ait la tête chaude dans le monde particulier des pêcheurs à la ligne, nul ne le mit en doute un seul instant.

Toutefois, il fallut s'armer de patience pour connaître le résultat de leur consciencieux examen, l'attribution des divers prix, soit du poids, soit du nombre, devant rester secrète jusqu'à l'heure de la distribution des récompenses, précédée d'un repas qui allait réunir tous les concurrents en de fraternelles agapes.

Cette heure était arrivée. Les pêcheurs, sans parler des curieux venus de Sigmaringen, attendaient, confortablement assis, devant l'estrade sur laquelle se tenaient le Président et les autres membres du Jury.

Et, en vérité, si les sièges, bancs ou escabeaux, ne faisaient point défaut, les tables ne manquaient pas non plus, ni, sur les tables, les moss de bière, les flacons de liqueurs variées, ainsi que les verres grands et petits.

Chacun ayant pris place, et les pipes continuant à fumer de plus belle, le Président se leva.

«Écoutez !.. Écoutez !..» cria-t-on de tous côtés.

M. Miclesco vida au préalable un bock écumeux dont la mousse perla sur la pointe de ses moustaches.

«Mes chers collègues, dit-il en allemand, langue comprise de tous les membres de la Ligue Danubienne malgré la diversité de leurs nationalités, ne vous attendez pas à un discours classiquement ordonné, avec préambule, développement et conclusion. Non, nous ne sommes pas ici pour nous griser de harangues officielles, et je viens seulement causer de nos petites affaires, en bons camarades, je dirai même en frères, si cette qualification vous paraît justifiée pour une assemblée internationale.

Ces deux phrases, un peu longues comme toutes celles qui se débitent généralement au commencement d'un discours, même quand l'orateur se défend de discourir, furent accueillies par d'unanimes applaudissements, auxquels se joignirent de nombreux très bien ! très bien ! mélangés de hoch !, voire de hoquets. Puis, au

Président levant son verre, tous les verres pleins firent raison.

M. Miclesco continua son discours en mettant le pêcheur à la ligne au premier rang de l'humanité. Il fit valoir toutes les qualités, toutes les vertus dont l'a pourvu la généreuse nature. Il dit ce qu'il lui faut de patience, d'ingéniosité, de sang-froid, d'intelligence supérieure, pour réussir dans cet art, car, plutôt qu'un métier, c'est un art, qu'il plaça bien au-dessus des prouesses cynégétiques dont se vantent à tort les chasseurs.

—Pourrait-on comparer, s'écria-t-il, la chasse à la pêche ?

—Non ! ... non !..., fut-il répondu par toute l'assistance.

—Quel mérite y a-t-il à tuer un perdreau ou un lièvre, lorsqu'on le voit à bonne portée, et qu'un chien—est-ce que nous avons des chiens, nous ?—l'a dépisté à votre profit ?... Ce gibier, vous l'apercevez de loin, vous le visez à loisir et vous l'accablez d'innombrables grains de plomb, dont la plupart sont tirés en pure perte !... Le poisson, au contraire, vous ne pouvez le suivre du regard... Il est caché sous les eaux... Ce qu'il faut de manoeuvres adroites, de délicates invites, de dépense intellectuelle et d'adresse, pour le décider à mordre à votre hameçon, pour le ferrer, pour le sortir de l'eau, tantôt pâmé à l'extrémité de la ligne, tantôt frétillant et, pour ainsi dire, applaudissant lui-même à la victoire du pêcheur !

Cette fois, ce fut un tonnerre de bravos. Assurément, le Président Miclesco répondait aux sentiments de la Ligue Danubienne. Comprenant qu'il ne pourrait jamais aller trop loin dans l'éloge de ses confrères, il n'hésita pas, sans craindre d'être taxé d'exagération, à placer leur noble exercice au-dessus de tous les autres, à élever jusqu'aux nues les fervents disciples de la science piscicaptologique, à évoquer même le souvenir de la superbe déesse qui présidait aux jeux piscatoriens de l'ancienne Rome dans les cérémonies halieutiques.

Ces mots furent-ils compris ? Probablement, puisqu'ils provoquèrent de véritables trépignements d'enthousiasme.

Alors, après avoir repris haleine en vidant une chope de bière neigeuse :

—Il ne me reste plus, dit-il, qu'à nous féliciter de la prospérité croissante de notre Société, qui recruté chaque année de nouveaux membres et dont la réputation est si bien établie dans toute l'Europe centrale. Ses succès, je ne vous en parlerai pas. Vous les connaissez, vous en avez votre part, et c'est un grand honneur que de figurer dans ses concours ! La presse allemande, la presse tchèque, la presse roumaine ne lui ont jamais marchandé leurs éloges si précieux, j'ajoute si mérités, et je porte un toast, en vous priant de me faire raison, aux journalistes qui se dévouent à la cause internationale de la Ligue Danubienne !

Certes, on fit raison au Président Miclesco. Les flacons se vidèrent dans les verres, et les verres se vidèrent dans les gosiers, avec autant de facilité que l'eau du grand fleuve et de ses affluents s'écoule dans la mer.

On en fût demeuré là, si le discours présidentiel eût pris fin sur ce dernier toast. Mais d'autres toasts s'imposaient, d'une aussi évidente opportunité.

En effet, le Président s'était redressé de toute sa hauteur, entre le secrétaire et le trésorier également debout. De la main droite, chacun d'eux tenait une coupe de champagne, la main gauche posée sur le coeur.

—Je bois à la Ligue Danubienne, dit M. Miclesco en couvrant l'assistance du regard.

Tous s'étaient levés, une coupe au niveau des lèvres.

Les uns montés sur les bancs, quelques autres sur les tables, on répondit avec un ensemble parfait à la proposition de M. Miclesco.

Celui-ci, les coupes vides, reprit de plus belle, après avoir puisé aux intarissables flacons placés devant ses assesseurs et lui :

—Aux nationalités diverses, aux Badois, aux Wurtembergeois, aux Bavarois, aux Autrichiens, aux Hongrois, aux Serbes, aux Valaques, aux Moldaves, aux Bulgares, aux Bessarabiens que la Ligue Danubienne compte dans ses rangs ! »

Et Bessarabiens, Bulgares, Moldaves, Valaques, Serbes, Hongrois, Autrichiens, Bavarois, Wurtembergeois, Badois lui répondirent comme un seul homme en absorbant le contenu de leurs coupes.

Enfin le Président termina sa harangue, en annonçant qu'il buvait à la santé de chacun des membres de la Société. Mais, leur nombre atteignant quatre cent soixante-treize, il fut malheureusement obligé de les grouper dans un seul toast.

On y répondit d'ailleurs par mille et mille hoch ! qui se prolongèrent jusqu'à extinction des forces vocales.

Ainsi s'acheva le second numéro du programme, dont le premier avait pris fin avec les exercices épulatoires. Le troisième allait consister dans la proclamation des lauréats.

Chacun attendait avec une anxiété bien naturelle, car, ainsi qu'il a été dit, le secret du Jury avait été gardé. Mais le moment était venu où on le connaîtrait enfin.

Le Président Miclesco se mit en devoir de lire la liste officielle des récompenses dans les deux catégories.

Conformément aux statuts de la Société, les prix de moindre valeur seraient proclamés les premiers, ce qui donnerait à la lecture de cette sorte de palmarès un intérêt Grandissant.

A l'appel de leur nom, les lauréats des prix inférieurs dans la catégorie du nombre se présentèrent devant l'estrade.

Le Président leur donna l'accolade, en leur remettant un diplôme et une somme d'argent variable suivant le rang obtenu.
Les poissons que contenaient les filets étaient de ceux que tout

pêcheur peut prendre dans les eaux du Danube : épinoches, gardons, goujons, plies, perches, tanches, brochets, chevesnes et autres. Valaques, Hongrois, Badois, Wurtembergeois figuraient dans la nomenclature de ces prix inférieurs.

Le deuxième prix fut attribué, pour soixante-dix-sept poissons capturés, à un Allemand du nom de Weber dont le succès fut accueilli par de chaleureux applaudissements. Ledit Weber était, en effet, fort connu de ses confrères. Maintes et maintes fois déjà, il avait été classé dans les rangs supérieurs lors des précédents concours, et l'on s'attendait généralement à ce qu'il remportât le premier prix du nombre, ce jour-là.

Non, soixante-dix-sept poissons seulement figuraient dans son filet, soixante-dix-sept bien comptés et recomptés, alors qu'un concurrent, sinon plus habile, du moins plus heureux, en avait rapporté quatre-vingt-dix-neuf dans le sien.

Le nom de ce maître pêcheur fut alors proclamé. C'était le Hongrois Ilia Brusch.

L'assemblée très surprise n'applaudit pas, en entendant le nom de ce Hongrois inconnu des membres de la Ligue Danubienne, dans laquelle il n'était entré que tout récemment.

Le lauréat n'ayant pas cru devoir se présenter pour toucher la prime de cent florins, le Président Miclesco passa sans plus tarder à la liste des vainqueurs dans la catégorie du poids. Les primés furent des Roumains, des Slaves et des Autrichiens.

Lorsque le nom auquel était attribué le second prix fut prononcé, ce nom fut applaudi comme l'avait été celui de l'Allemand Weber. M. Ivetozar, l'un des assesseurs, triomphait avec un chevesne de trois livres et demie, qui eût assurément échappé à un pêcheur possédant moins d'adresse et de sang-froid. C'était l'un des membres les plus en vue, les plus actifs, les plus dévoués de la Société, et c'est lui qui, à cette époque, avait remporté le plus grand nombre de récompenses. Aussi fut-il salué par d'unanimes applaudissements.

Il ne restait plus qu'à décerner le premier prix de cette catégorie, et les coeurs palpitaient en attendant le nom du lauréat.

Quel ne fut pas l'étonnement, plus que l'étonnement, quelle ne fut pas la stupéfaction générale, lorsque le Président Miclesco, d'une voix, dont il ne pouvait modérer le tremblement, laissa tomber ces mots :

« Premier au poids pour un brochet de dix-sept livres, le Hongrois Ilia Brusch ! »

Un grand silence se fit dans l'assistance. Les mains prêtes à battre demeurèrent immobiles, les bouches prêtes à acclamer le vainqueur se turent. Un vif sentiment de curiosité immobilisait tout le monde.

Ilia Brusch allait-il enfin apparaître ? Viendrait-il recevoir du Président Miclesco les diplômes d'honneur et les deux cents florins qui les accompagnaient ?

Soudain un murmure courut à travers l'assemblée.

Un des assistants, qui, jusque-là, s'était tenu un peu à l'écart, se dirigeait vers l'estrade.

C'était le Hongrois Ilia Brusch.

A en juger par son visage soigneusement rasé, que couronnait une épaisse chevelure d'un noir d'encre, Ilia Brusch n'avait pas dépassé trente ans.

D'une stature au-dessus de la moyenne, large d'épaules, bien planté sur ses jambes, il devait être d'une force peu commune. On pouvait être surpris, en vérité, qu'un gaillard de cette trempe se complût aux placides distractions de la pêche à la ligne, au point d'avoir acquis dans cet art difficile la maîtrise dont le résultat du concours donnait une irrécusable preuve.

Autre particularité assez bizarre, Ilia Brusch devait, d'une manière ou d'une autre, être affligé d'une affection de la vue. De larges lunettes noires cachaient, en effet, ses yeux, dont il eût été impossible de reconnaître la couleur. Or, la vue est le plus précieux des sens pour qui se passionne aux imperceptibles mouvements de la flotte, et de bons yeux sont nécessaires à qui veut déjouer les multiples ruses du poisson.

Mais, que l'on fût ou que l'on ne fût pas étonné, il n'y avait qu'à s'incliner. L'impartialité du Jury ne pouvant être suspectée, Ilia Brusch était le vainqueur du concours, et cela dans des conditions que personne, de mémoire de ligueur, n'avait jamais réunies. L'assemblée se dégela donc, et des applaudissements suffisamment sonores saluèrent le triomphateur, au moment où il recevait ses diplômes et ses primes des mains du Président Miclesco.

Cela fait, Ilia Brusch, au lieu de descendre de l'estrade, eut un court colloque avec le Président, puis se retourna vers l'assemblée intriguée, en réclamant du geste un silence qu'il obtint comme par enchantement.

« Messieurs et chers collègues, dit Ilia Brusch, je vous demanderai la permission de vous adresser quelques mots, ainsi que notre Président veut bien m'y autoriser.

On aurait entendu voler une mouche dans la salle tout à l'heure si bruyante.

A quoi tendait cette allocution non prévue au programme ?

—Je désire d'abord vous remercier, continuait Ilia Brusch, de votre sympathie et de vos applaudissements, mais je vous prie de croire que je ne m'enorgueillis pas plus qu'il ne convient du double succès que je viens d'obtenir. Je n'ignore pas que ce succès, s'il eût appartenu au plus digne, eût été remporté par quelque membre plus ancien de la Ligue Danubienne, si riche en valeureux pêcheurs, et que je le dois, plutôt qu'à mon mérite, à un hasard favorable.

La modestie de ce début fut vivement appréciée de l'assistance, d'où plusieurs très bien ! s'élevèrent en sourdine.

—Ce hasard favorable, il me reste à le justifier, et j'ai conçu dans ce but un projet que je crois de nature à intéresser cette réunion d'illustres pêcheurs.

«La mode, vous ne l'ignorez pas, mes chers collègues, est aux records. Pourquoi n'imiterions-nous pas les champions d'autres sports, inférieurs au nôtre à coup sûr, et ne tenterions-nous pas d'établir le record de la pêche ?

Des exclamations étouffées coururent dans l'auditoire. On entendit des ah ! ah !, des tiens ! tiens !, des pourquoi pas ?, chaque sociétaire traduisant son impression selon son tempérament particulier.

—Quand cette idée, poursuivait cependant l'orateur, m'est venue pour la première fois à l'esprit, je l'ai adoptée sur-le-champ, et sur-le-champ j'ai compris dans quelles conditions elle devait être réalisée. Mon titre d'associé de la Ligue Danubienne limitait, d'ailleurs, le problème. Ligueur du Danube, c'est au Danube seul qu'il me fallait demander l'heureuse issue de mon entreprise.

J'ai donc formé le projet de descendre notre glorieux fleuve, de sa source même à la mer Noire, et de vivre, durant ce parcours de trois mille kilomètres, exclusivement du produit de ma pêche.

«La chance qui m'a favorisé aujourd'hui augmenterait encore, s'il était possible, mon désir d'accomplir ce voyage, dont, j'en suis certain, vous apprécierez l'intérêt, et c'est pourquoi, dès à présent, je vous annonce mon départ, fixé au 10 août, c'est-à dire à jeudi prochain, en vous donnant rendez-vous, ce jour-là, au point précis où commence le Danube.

Il est plus facile d'imaginer que de décrire l'enthousiasme que provoqua cette communication inattendue. Pendant cinq minutes, ce fut une tempête de hoch ! et d'applaudissements frénétiques.

Mais un tel incident ne pouvait se terminer ainsi. M. Miclesco le comprit, et, comme toujours, il agit en véritable président. Un peu lourdement peut-être, il se leva une fois de plus entre ses deux assesseurs.

—A notre collègue Ilia Brusch ! dit-il d'une voix émue, en brandissant une coupe de champagne.

—A notre collègue Ilia Brusch !» répondit l'assemblée avec un bruit de tonnerre, auquel succéda immédiatement un profond silence, les humains n'étant pas conformés, par suite d'une regrettable lacune, de manière à pouvoir crier et boire en même temps.

Toutefois, le silence fut de courte durée Le vin pétillant eut tôt fait de rendre aux gosiers lassés une vigueur nouvelle, ce qui leur permit de porter encore d'innombrables santés, jusqu'au moment où fut clôturé, au milieu de l'allégresse générale, le fameux concours de pêche ouvert ce jour-là, samedi 5 août 1876, par la Ligue Danubienne, dans la charmante petite ville de Sigmaringen.

\` \` \` \`

II - AUX SOURCES DU DANUBE.

En annonçant à ses collègues réunis au Rendez-vous des Pêcheurs son projet de descendre le Danube, la ligne à la main, Ilia Brusch avait-il ambitionné la gloire ? Si tel était son but, il pouvait se vanter de l'avoir Atteint.

La presse s'était emparée de l'incident, et tous les journaux de la région danubienne, sans exception, avaient consacré au concours de Sigmaringen une copie plus ou moins abondante, mais toujours capable de chatouiller agréablement l'amour-propre du vainqueur, dont le nom était en passe de devenir tout à fait populaire.

Dès le lendemain, dans son numéro du 6 août, la Neue Freie Press, de Vienne, notamment, avait inséré ce qui suit :

Le dernier concours de pêche de la Ligue Danubienne s'est terminé hier à Sigmaringen sur un véritable coup de théâtre, dont un Hongrois du nom d'Ilia Brusch, hier inconnu, aujourd'hui presque célèbre, a été le héros.

»Qu'a donc fait Ilia Brusch, demandez-vous, pour mériter une gloire aussi soudaine ?

»En premier lieu, cet habile homme a réussi à s'adjuger les deux premiers prix du poids et du nombre, en distançant de loin tous ses concurrents, ce qui, paraît-il, ne s'était jamais vu depuis qu'il existe des concours de ce genre. Ce n'est déjà pas mal. Mais il y a mieux.

»Quand on a récolté une pareille moisson de lauriers, quand on a remporté une aussi éclatante victoire, il semblerait qu'on soit en droit de goûter un repos mérité. Or, tel n'est pas l'avis de ce Hongrois étonnant, qui se prépare à nous étonner plus encore.

»Si nous sommes bien informés—et l'on connaît la sûreté de nos informations—Ilia Brusch aurait annoncé à ses collègues qu'il se proposait de descendre, la ligne à la main, tout le Danube, depuis sa source, dans le duché de Bade, jusqu'à son embouchure, dans la mer Noire, soit un parcours de trois mille kilomètres environ.

»Nous tiendrons nos lecteurs au courant des péripéties de cette originale entreprise.

»C'est jeudi prochain, 10 août, qu'Ilia Brusch doit se mettre en route. Souhaitons-lui bon voyage, mais souhaitons aussi que le terrible pêcheur n'extermine pas, jusqu'au dernier représentant, la gent aquatique qui peuple les eaux du grand fleuve international !»

Ainsi s'exprimait la Neue Freie Press de Vienne. Le Pester Lloyd de Budapest ne se montrait pas moins chaleureux, non plus que le Srbské Noviné de Belgrade et le Românul de Bucarest, dans lesquels la note se haussait aux dimensions d'un véritable article.

Cette littérature était bien faite pour attirer l'attention sur Ilia Brusch, et, s'il est vrai que la presse soit le reflet de l'opinion publique, celui-ci pouvait s'attendre à exciter un intérêt grandissant à mesure que se poursuivrait son voyage.

Dans les principales villes du parcours ne trouverait-il pas, d'ailleurs, des membres de la Ligue Danubienne, qui considéreraient comme un devoir de contribuer à la gloire de leur collègue ? Nul doute qu'il ne reçût d'eux assistance et secours, en cas de besoin.

Dès à présent, les commentaires de la presse obtenaient un franc succès parmi les pêcheurs à la ligne. Aux yeux de ces professionnels, l'entreprise d'Ilia Brusch acquérait une énorme importance, et nombre de ligueurs, attirés à Sigmaringen par le concours qui venait de finir, s'y étaient attardés, afin d'assister au départ du champion de la Ligue Danubienne.

Quelqu'un qui n'avait pas à se plaindre de la prolongation de leur séjour, c'était, à coup sûr, le patron du Rendez-vous des Pêcheurs.

Dans l'après-midi du 8 août, avant-veille du jour fixé par le lauréat pour le début de son original voyage, plus de trente buveurs continuaient à mener joyeuse vie dans la grande salle du cabaret, dont la caisse, étant données les facultés absorbantes de cette clientèle de choix, connaissait des recettes inespérées.

Pourtant, malgré la proximité de l'événement qui avait retenu ces curieux dans la capitale du Hohenzollern, ce n'est pas du héros du jour que l'on s'entretenait, le soir du 8 août, au Rendez-vous des Pêcheurs. Un autre événement, plus important encore pour ces riverains du grand fleuve, servait de thème à la conversation générale et mettait tout ce monde en rumeur.

Cette émotion n'avait rien d'exagéré, et des faits du caractère le plus sérieux la justifiaient amplement.

Depuis plusieurs mois, en effet, les rives du Danube étaient désolées par un perpétuel brigandage. On ne comptait plus les fermes dévalisées, les châteaux pillés, les villas cambriolées, les meurtres même, plusieurs personnes ayant payé de leur vie la résistance qu'elles tentaient d'opposer à d'insaisissables malfaiteurs.

De toute évidence, une telle série de crimes n'avait pu être accomplie par quelques individus isolés. On avait certainement affaire à une bande bien organisée, et sans doute fort nombreuse, à en juger par ses exploits.

Circonstance singulière, cette bande n'opérait que dans le voisinage immédiat du Danube. Au delà de deux kilomètres de part et d'autre du fleuve, jamais un seul crime n'avait pu lui être légitimement attribué. Toutefois, le théâtre de ses opérations ne paraissait ainsi limité que dans le sens de la largeur, et les rives autrichiennes, hongroises, serbes ou roumaines étaient pareillement mises à sac par ces bandits, qu'on ne parvenait nulle part à prendre sur le fait.

Leur coup accompli, ils disparaissaient jusqu'au prochain crime, commis parfois à des centaines de kilomètres du précédent. Dans l'intervalle, on ne trouvait d'eux aucune trace. Ils semblaient s'être volatilisés, ainsi que les objets matériels, parfois très encombrants, qui représentaient leur butin.

Les gouvernements intéressés avaient fini par s'émouvoir de ces échecs successifs, vraisemblablement imputables au défaut de cohésion des forces répressives. Une conversation diplomatique s'était engagée à ce sujet, et, ainsi que la presse en donnait la nouvelle ce matin même du 8 août, les négociations venaient d'aboutir à la création d'une police internationale répartie sur tout le cours du Danube sous l'autorité d'un chef unique. La désignation de ce chef avait été particulièrement laborieuse, mais finalement on s'était mis d'accord sur le nom de Karl Dragoch, détective hongrois bien connu dans la région.

Karl Dragoch était, en effet, un policier, remarquable, et la difficile mission qui lui était confiée n'aurait pu l'être à un plus digne. Agé de quarante-cinq ans, c'était un homme de complexion moyenne, plutôt maigre, et doué de plus de force morale que de force physique. Il avait assez de vigueur, cependant, pour supporter les fatigues professionnelles de son état, comme il avait assez de bravoure pour en affronter les dangers. Légalement, il demeurait à Budapest, mais le plus souvent il était en campagne, occupé à quelque enquête délicate. Sa connaissance parfaite de tous les idiomes du Sud-Est de l'Europe, de l'allemand et du roumain, du serbe, du bulgare et du turc, sans parler du hongrois, sa langue maternelle, lui permettait de n'être jamais embarrassé, et, en sa qualité de célibataire, il n'avait pas à craindre que des soucis de famille vinssent entraver la liberté de ses mouvements.

Sa nomination avait, comme on dit, une bonne presse.

Quant au public, il l'approuvait à l'unanimité. Dans la grande salle du Rendez-vous des Pêcheurs, la nouvelle en était accueillie d'une manière tout particulièrement flatteuse.

«On ne pouvait mieux choisir, affirmait, au moment où s'allumaient les lampes du cabaret, M. Ivetozar, titulaire du second prix du poids, lors du concours qui venait de finir. Je connais Dragoch. C'est un homme.

—Et un habile homme, renchérit le Président Miclesco.

—Souhaitons, s'écria un Croate, du nom peu facile à prononcer de Svrb, propriétaire d'une teinturerie dans un des faubourgs de Vienne, qu'il réussisse à assainir les rives du fleuve. La vie n'y était plus tolérable, en vérité !

—Karl Dragoch a affaire à forte partie, dit l'Allemand Weber, en hochant la tête. Il faudra le voir à l'oeuvre.

—A l'oeuvre !... s'écria M. Ivetozar. Il y est déjà, n'en doutez pas.

—Certes ! approuva M. Miclesco. Karl Dragoch n'est pas d'un caractère à perdre son temps. Si sa nomination remonte à quatre jours, comme le disent les journaux, il y en a au moins trois qu'il est en campagne.

—Par quel bout va-t-il commencer ? demanda M. Piscéa, un Roumain au nom prédestiné pour un pêcheur à la ligne. Je serais bien embarrassé, je l'avoue, si j'étais à sa place.

—C'est précisément pour ça qu'on ne vous y a pas mis, mon cher, répliqua plaisamment un Serbe. Soyez sûr que Dragoch n'est pas embarrassé, lui. Quant à vous dire son plan, c'est autre chose. Peut-être s'est-il dirigé sur Belgrade, peut-être est-il resté à Budapest...

A moins qu'il n'ait préféré venir précisément ici, à Sigmaringen, et qu'il ne soit en ce moment parmi nous au Rendez-vous des Pêcheurs !

Cette supposition obtint un grand succès d'hilarité.

—Parmi nous !... se récria M. Weber. Vous nous la baillez belle, Michael Michaelovitch. Que viendrait-il faire ici, où, de mémoire d'homme, on n'a jamais eu à déplorer le moindre crime ?

—Eh ! riposta Michael Michaelovitch, ne serait-ce que pour assister après-demain au départ d'Ilia Brusch. Ça l'intéresse peut-être, cet homme... A moins, toutefois, qu'Ilia Brusch et Karl Dragoch ne fassent qu'un.

—Comment, ne fassent qu'un ! S'écria-t-on de toutes parts. Qu'entendez-vous par là ?

—Parbleu ! ce serait très fort. Sous la peau du lauréat, personne ne soupçonnerait le policier, qui pourrait ainsi inspecter le Danube en parfaite liberté.

Cette fantaisiste boutade fit ouvrir de grands yeux aux autres buveurs. Ce Michael Michaelovitch !... Il n'y avait que lui pour avoir des idées pareilles !

Mais Michael Michaelovitch ne tenait pas autrement à celle qu'il venait de risquer.

—A moins ... commença-t-il, en employant une tournure qui lui était décidément familière.

—A moins ?

—A moins que Karl Dragoch n'ait un autre motif de venir ici, poursuivit-il, passant sans transition à une autre hypothèse non moins fantaisiste.

—Quel motif ?

—Supposez, par exemple, que ce projet de descendre le Danube la ligne à la main lui paraisse louche.

—Louche !...

Pourquoi louche ?

—Dame ! ce ne serait pas bête, non plus, pour un filou, de se cacher dans la peau d'un pêcheur, et surtout d'un pêcheur aussi notoire. Une telle célébrité vaut tous les incognitos du monde. On pourrait faire les cent coups à son aise, à la condition de pêcher dans l'intervalle, histoire de donner le change.

—Oui, mais il faudrait savoir pêcher, objecta doctoralement le Président Miclesco, et c'est là un privilège réservé aux honnêtes gens.

Cette observation morale, peut-être un peu hasardeuse, fut frénétiquement applaudie par tous ces passionnés pêcheurs. Michael Michaelovitch profita avec un tact remarquable de l'enthousiasme général.

—A la santé du Président ! s'écria-t-il en levant son verre.

—A la santé du Président ! répétèrent tous les buveurs, en vidant les leurs comme un seul homme.

—A la santé du Président ! répéta un consommateur solitairement attablé, qui, depuis quelques instants, semblait prendre un vif intérêt aux répliques échangées autour de lui.

M. Miclesco fut sensible à l'aimable procédé de cet inconnu, et, pour l'en remercier, il esquissa à son adresse un geste de toast. Le buveur solitaire, estimant sans doute la glace suffisamment rompue par ce geste courtois, se considéra comme autorisé à faire part de ses impressions à l'honorable assistance.

—Bien répondu, ma foi ! dit-il. Oui, certes, la pêche est un plaisir d'honnêtes gens.

—Aurions-nous l'avantage de parler à un confrère ? demanda M. Miclesco, en s'approchant de l'inconnu.

—Oh ! répondit modestement celui-ci, un amateur tout au plus, qui se passionne pour les beaux coups, mais n'a pas l'outrecuidance de chercher à les imiter.

—Tant pis, monsieur... ?

—Jaeger.

—Tant pis, monsieur Jaeger, car je dois en conclure que nous n'aurons jamais l'honneur de vous compter au nombre des membres de la Ligue Danubienne.

—Qui sait ? répondit M. Jaeger. Je me déciderai peut-être un jour à mettre moi aussi la main à la pâte ... à la ligne, je veux dire, et, ce jour-là, je serai certainement des vôtres, si je réunis toutefois les conditions requises pour l'admission.

—N'en doutez pas, affirma avec précipitation M. Miclesco excité par l'espoir de recruter un nouvel adhérent. Ces conditions fort simples ne sont qu'au nombre de quatre. La première est de payer une modeste cotisation annuelle. C'est la principale.

—Bien entendu, approuva M. Jaeger en riant.

—La seconde, c'est d'aimer la pêche. La troisième, c'est d'être un agréable compagnon, et je considère que cette troisième condition est d'ores et déjà réalisée.

—Trop aimable ! remercia M. Jaeger.

—Quant à la quatrième, elle consiste uniquement dans l'inscription du nom et de l'adresse sur les listes de la Société. Or, ayant déjà votre nom, quand j'aurai votre adresse...

—43, Leipzigerstrasse, à Vienne.

—Vous ferez un ligueur complet au prix de vingt couronnes par an.

Les deux interlocuteurs se mirent à rire de bon coeur.

—Pas d'autres formalités ? demanda M. Jaeger.

—Pas d'autres.

—Pas de pièces d'identité à fournir ?

—Voyons, monsieur Jaeger, objecta M. Miclesco, pour pêcher à la ligne !...

—C'est juste, reconnut M. Jaeger. D'ailleurs, cela n'a guère d'importance. Tout le monde doit se connaître à la Ligue Danubienne.

—C'est exactement le contraire, rectifia M. Miclesco. Songez donc ! certains de nos camarades habitent ici, à Sigmaringen, et d'autres sur le rivage de la mer Noire. Cela ne facilite pas les relations de bon voisinage.

—En effet !

—Ainsi, par exemple, notre étonnant lauréat du dernier concours...

—Ilia Brusch ?

—Lui-même. Eh bien ! personne ne le connaît.

—Pas possible !

—C'est ainsi, affirma M. Miclesco. Il n'y a pas plus de quinze jours, il est vrai, qu'il fait partie de la Ligue. Pour tout le monde, Ilia Brusch a été une surprise, que dis-je ! une véritable révélation.

—Ce qu'on appelle un outsider, en style de course.

—Précisément.

—De quel pays est-il, cet outsider ?

—C'est un Hongrois.

—Comme vous alors. Car vous êtes Hongrois, je crois, monsieur le Président ?

—Pur sang, monsieur Jaeger, Hongrois de Budapest.

—Tandis qu'Ilia Brusch ?

—Est de Szalka.

—Où prenez-vous Szalka ?

—C'est une bourgade, une petite ville, si vous voulez, sur la rive droite de l'Ipoly, rivière qui se jette dans le Danube à quelques lieues au-dessus de Budapest.

—Avec celui-là, du moins, monsieur Miclesco, vous pourrez par conséquent voisiner, fit observer M. Jaeger en riant.

—Pas avant deux ou trois mois, en tous cas, répondit sur le même ton le Président de la Ligue Danubienne. Il lui faudra bien ce temps pour son voyage...

—A moins qu'il ne le fasse pas ! insinua le Serbe facétieux, en se mêlant sans façon à la conversation.

D'autres pêcheurs se rapprochèrent. M. Jaeger et M. Miclesco devinrent le centre d'un petit groupe.

—Qu'entendez-vous par là ? interrogea M. Miclesco. Vous avez une brillante imagination, Michael Michaelovitch.

—Simple plaisanterie, mon cher Président, répondit l'interrupteur. Cependant, si Ilia Brusch ne peut être, selon vous, ni un policier ni un malfaiteur, pourquoi n'aurait-il pas voulu se payer, comme on dit, notre tête, et pourquoi ne serait-il pas tout simplement un farceur ?

M. Miclesco prit la chose sur le mode grave.

—Votre esprit est malveillant, Michael Michaelovitch, répliqua-t-il. Cela vous jouera un mauvais tour un jour ou l'autre. Ilia Brusch m'a fait l'effet d'un brave homme et d'un homme sérieux. D'ailleurs, il est membre de la Ligue Danubienne. C'est tout dire.

—Bravo ! cria-t-on de tous côtés.

Michael Michaelovitch, sans paraître autrement confus de la leçon, saisit avec une admirable présence d'esprit cette nouvelle occasion de porter un toast.

—Dans ce cas, dit-il, en saisissant son moss, à la santé d'Ilia Brusch !

—A la santé d'Ilia Brusch !» répondit en choeur l'assistance, sans excepter M. Jæger, qui vida consciencieusement son verre Jusqu'à la dernière goutte.

Cette boutade de Michael Michaelovitch n'était cependant pas aussi dénuée de bon sens que les précédentes.

Après avoir annoncé son projet à grand fracas, Ilia Brusch n'avait plus reparu. Nul n'en avait plus entendu parler. N'était-il pas singulier qu'il se fût ainsi tenu à l'écart, et ne pouvait-on légitimement supposer qu'il avait voulu en faire accroire à ses trop crédules collègues ? Pour que l'on fût fixé à cet égard, l'attente, en tous cas, ne serait plus de longue durée. Dans trente-six heures, on saurait à quoi s'en tenir.

Ceux qui s'intéressaient à ce projet n'avaient qu'à se transporter à quelques lieues en amont de Sigmaringen. Ils y rencontreraient assurément Ilia Brusch, si celui-ci était un homme aussi sérieux que le Président Miclesco l'affirmait de confiance.

Toutefois, une difficulté pouvait se présenter. La situation de la source du grand fleuve était-elle déterminée avec précision ? Les cartes l'indiquaient-elles avec exactitude ? N'existait-il pas quelque incertitude sur ce point, et, quand on essaierait de rejoindre Ilia Brusch à tel endroit, ne serait-il pas à tel autre ?

Certes, il n'est pas douteux que le Danube, l'Ister des Anciens, prenne naissance dans le grand-duché de Bade. Les géographes affirment même que c'est par six degrés dix minutes de longitude orientale et quarante-sept degrés quarante-huit minutes de latitude septentrionale. Mais enfin cette détermination, en admettant qu'elle soit juste, n'est poussée que jusqu'à la minute d'arc et non jusqu'à la seconde, ce qui peut donner lieu à une variation d'une certaine importance. Or, il s'agissait de jeter la ligne à l'endroit même où la première goutte d'eau danubienne commence à dévaler vers la mer Noire.

D'après une légende qui eut longtemps la valeur d'une donnée géographique, le Danube naîtrait au milieu d'un jardin, celui des princes de Furstenberg.

Il aurait pour berceau un bassin en marbre, dans lequel nombre de touristes viennent remplir leur gobelet. Serait-ce donc au bord de cette vasque intarissable qu'il conviendrait d'attendre Ilia Brusch le matin du 10 août ?

Non, là n'est point la véritable, l'authentique source du grand fleuve. On sait maintenant qu'il est formé par la réunion de deux ruisseaux, la Breg et la Brigach, lesquels se déversent d'une altitude de huit cent soixante-quinze mètres, à travers la forêt du Schwarzwald. Leurs eaux se mélangent à Donaueschingen, quelques lieues en amont de Sigmaringen, et se confondent alors sous l'appellation unique de Donau, d'où les Français ont fait Danube.

Si l'un de ces ruisseaux méritait plus que l'autre d'être considéré comme le fleuve lui-même, ce serait la Breg, dont la longueur l'emporte de trente-sept kilomètres, et qui naît dans le Brisgau.

Mais, sans doute, les curieux plus avisés s'étaient dit que le point de départ d'Ilia Brusch—s'il partait toutefois—serait Donaueschingen, car c'est là qu'ils se rendirent, la plupart appartenant à la Ligue Danubienne, en compagnie du Président Miclesco.

Dès le matin du 10 août, ils se mirent en faction sur la rive de la Breg, au confluent des deux ruisseaux. Mais les heures s'écoulèrent, sans que la présence de l'homme du jour eût été signalée.

«Il ne viendra pas, disait l'un.

—Ce n'est qu'un mystificateur, disait l'autre.

—Et nous ressemblons singulièrement à de bons niais ! ajoutait Michael Michaelovitch, qui n'avait pas le triomphe modeste.

Seul, le Président Miclesco persistait à prendre la défense d'Ilia Brusch.

—Non, affirmait-il, je n'admettrai jamais qu'un membre de la Ligue Danubienne ait pu avoir la pensée de mystifier ses collègues !

... Ilia Brusch aura été retardé. Patientons. Nous allons bientôt le voir arriver.»

M. Miclesco avait raison de se montrer aussi confiant. Un peu avant neuf heures, un cri s'échappa du groupe qui se tenait au confluent de la Breg et de la Brigach.

«Le voilà !... le voilà !»

A deux cents pas, au tournant d'une pointe, apparaissait un canot conduit à la godille, le long de la berge, en dehors du courant. Seul, debout à l'arrière, un homme le dirigeait.

Cet homme était bien celui qui avait figuré quelques jours avant au concours de la Ligue Danubienne, le gagnant des deux premiers prix, le Hongrois Ilia Brusch.

Lorsque le canot eut atteint le confluent, il s'arrêta, et un grappin le fixa à la berge. Ilia Brusch débarqua, et tous les curieux se réunirent autour de lui. Sans doute, il ne s'attendait pas à trouver si nombreuse assistance, car il en parut quelque peu gêné.

Le Président Miclesco vint le rejoindre, et lui tendit une main qu'Ilia

Brusch serra avec déférence, après avoir retiré sa casquette de loutre.

«Ilia Brusch, dit M. Miclesco avec une dignité vraiment présidentielle, je suis heureux de revoir le grand lauréat de notre dernier concours.

Le grand lauréat s'inclina par manière de remerciement. Le Président reprit :

—De ce que nous vous rencontrons aux sources de notre fleuve international, nous en concluons que vous mettez à exécution votre projet de le descendre, en pêchant à la ligne, jusqu'à son embouchure.

—En effet, monsieur le Président, répondit Ilia Brusch.

—Et c'est aujourd'hui même que vous commencez votre descente ?

—Aujourd'hui même, monsieur le Président.

—Comment comptez-vous effectuer le parcours ?

—En m'abandonnant au courant.

—Dans ce canot ?

—Dans ce canot.

—Sans jamais relâcher ?

—Si, la nuit.

—Vous n'ignorez pas qu'il s'agit de trois mille kilomètres ?

—A dix lieues par jour, ce sera fait en deux mois environ.

—Alors bon voyage, Ilia Brusch !

—En vous remerciant, monsieur le Président !»

Ilia Brusch salua une dernière fois, et remonta dans son embarcation, tandis que les curieux se pressaient pour le voir partir.

Il prit sa ligne, l'amorça, la déposa sur l'un des bancs, ramena le grappin à bord, repoussa le canot d'un vigoureux coup de gaffe, puis, s'asseyant à l'arrière, il lança la ligne.

Un instant après, il la retirait. Un barbeau frétillait à l'hameçon. Cela parut d'un heureux présage, et, comme il tournait la pointe, toute l'assistance acclama par de frénétiques hoch ! le lauréat de la Ligue Danubienne.

III - LE PASSAGER D'ILIA BRUSCH.

Elle était donc commencée, cette descente du grand fleuve, qui allait promener Ilia Brusch à travers un duché : celui de Bade ; deux royaumes : le Wurtemberg et la Bavière ; deux empires : l'Autriche-Hongrie et la Turquie ; trois principautés : le Hohenzollern, la Serbie et la Roumanie [Ces deux principautés ont été érigées depuis en royaumes, la Roumanie en 1881 et la Serbie en 1882.]. L'original pêcheur n'avait à redouter aucune fatigue pendant ce long parcours de plus de sept cents lieues. Le courant du Danube se chargerait de le transporter jusqu'à l'embouchure, à raison d'un peu plus d'une lieue à l'heure, soit, en moyenne, une cinquantaine de kilomètres par jour. En deux mois, il serait ainsi au terme de son voyage, à condition qu'aucun incident ne l'arrêtât en route. Mais pourquoi aurait-il éprouvé des retards ?

Le canot d'Ilia Brusch mesurait une douzaine de pieds. C'était une sorte de barge à fond plat, large de quatre pieds en son milieu. A l'avant, s'arrondissait un rouf, un tôt, si l'on veut, sous lequel deux hommes auraient pu s'abriter. A l'intérieur de ce rouf, deux coffres latéraux, placés en abord, contenaient la garde-robe très réduite du propriétaire, et pouvaient, une fois refermés, se transformer en couchettes. A l'arrière un autre coffre formait banc, et servait à loger divers ustensiles de cuisine.

Inutile d'ajouter que la barge était pourvue de tous les engins qui constituent le matériel du véritable pêcheur. Ilia Brusch n'aurait pu s'en passer, puisque, d'après le projet communiqué par lui à ses collègues le jour du concours, il devait, pendant ce voyage, vivre exclusivement du produit de sa pêche, soit qu'il le consommât en nature, soit qu'il l'échangeât contre espèces sonnantes et trébuchantes, qui lui permettraient de composer des menus plus variés sans donner d'entorse à son programme.

Dans ce but, Ilia Brusch irait, le soir venu, vendre le poisson capturé pendant le jour, et ce poisson aurait des amateurs sur l'une et l'autre rive, après le bruit fait autour du nom du pêcheur.

Ainsi s'écoula la première journée. Toutefois, un observateur, qui aurait pu ne pas quitter des yeux Ilia Brusch, aurait été à bon droit surpris du peu d'ardeur que le lauréat de la Ligue Danubienne semblait mettre à la pêche, seule raison d'être, pourtant, de son excentrique entreprise. Se croyait-il à l'abri des regards, il s'empressait de lâcher la ligne pour l'aviron, et godillait de toutes ses forces, comme s'il eût voulu activer la marche du bateau. Quelques curieux apparaissaient-ils, au contraire, sur l'une des berges, ou croisait-il un batelier, il saisissait aussitôt son arme professionnelle, et, son habileté aidant, ne tardait pas à tirer hors de l'eau quelque beau poisson, qui lui valait les applaudissements des spectateurs. Mais, les curieux cachés par un mouvement de la rive, le batelier disparu à un tournant, il reprenait l'aviron, et imprimait à sa lourde barge une vitesse qui s'ajoutait à celle de l'eau.

Ilia Brusch avait-il donc quelque motif de chercher à abréger un voyage que personne, cependant, ne l'avait forcé à entreprendre ? Quoi qu'il en soit à cet égard, il avançait assez vite. Entraîné par un courant plus rapide à l'origine du fleuve qu'il ne le sera plus tard, godillant chaque fois qu'il estimait l'occasion favorable, il dérivait à raison de huit kilomètres à l'heure, sinon davantage.

Après avoir passé devant quelques localités sans importance, il laissa derrière lui Tuttlingen, centre plus considérable, sans s'y arrêter, bien que quelques-uns de ses admirateurs lui fissent, de la berge, signe d'accoster.

Ilia Brusch, déclinant du geste l'invitation, se refusa à interrompre sa dérive.

Vers quatre heures de l'après-midi, il arrivait à la hauteur de la petite ville de Fridingen, à quarante-huit kilomètres de son point de départ. Volontiers il aurait brûlé—si toutefois cette expression est de mise quand on suit un chemin liquide—Fridingen comme les stations précédentes, mais l'enthousiasme public ne le lui permit pas. Dès qu'il apparut, plusieurs barques, d'où s'élevaient d'innombrables hoch !, se détachèrent de la rive et cernèrent le glorieux lauréat.

Celui-ci se rendit de bonne grâce. D'ailleurs n'avait-il pas à chercher preneur pour le poisson capturé au cours de sa pêche intermittente ? Barbeaux, brèmes, gardons, épinoches frétillaient encore dans son filet, sans compter plusieurs de ces mulets qui sont plus particulièrement désignés sous le nom de hottus. Evidemment il ne pouvait consommer tout cela à lui seul. Du reste, il n'en était pas question. Les amateurs étaient nombreux. Aussitôt que la barge fut arrêtée, une cinquantaine de Badois se pressèrent autour de lui, l'appelant, l'entourant, lui rendant les honneurs dus au lauréat de la Ligue Danubienne.

«Eh ! par ici, Brusch !

—Un verre de bonne bière, Brusch ?

—Nous achetons votre poisson, Brusch !

—Vingt kreutzers, celui-ci !

—Un florin, celui-là !»

Le lauréat ne savait à qui répondre, et sa pêche eut vite fait de lui rapporter quelques jolies pièces sonnantes. Avec la prime déjà touchée au concours cela finirait par former une belle somme, si l'enthousiasme se propageait également des sources du grand fleuve à son embouchure.

Et pourquoi eût-il pris fin ? Pourquoi cesserait-on de se disputer les poissons d'Ilia Brusch ? N'était-ce pas un honneur de posséder une pièce sortie de ses mains ? Certes, il n'aurait même pas la peine d'aller à domicile débiter sa marchandise que le public se disputerait sur place. Cette vente était décidément une idée géniale.

Ce soir-là, outre qu'il vendit aisément son poisson, les invitations ne lui manquèrent pas. Ilia Brusch, qui semblait désireux de quitter son embarcation le moins possible, les repoussa toutes, comme il refusa avec énergie les bons verres de vin et les bons moss de bière, qu'on le priait de tous côtés de venir boire dans les cabarets de la rive. Ses admirateurs durent y renoncer et se séparer de leur héros, après avoir pris rendez-vous pour le lendemain au moment du départ.

Mais, le lendemain, ils ne trouvèrent plus la barge. Ilia Brusch était parti avant l'aube, et, profitant de la solitude de cette heure matinale, il godillait avec ardeur en se maintenant au milieu du fleuve, à égale distance de ses rives assez escarpées. Aidé par le courant rapide, il passa vers cinq heures du matin à Sigmaringen, à quelques mètres du Rendez-vous des Pêcheurs. Sans doute, un peu plus tard, l'un ou l'autre des membres de la Ligue Danubienne viendrait s'accouder au balcon du cabaret, afin de guetter l'arrivée de son glorieux collègue. Il la guetterait vainement. Le pêcheur alors serait loin, s'il continuait à aller de ce train.

A quelques kilomètres de Sigmaringen, Ilia Brusch laissa derrière lui le premier affluent du Danube, un simple ruisseau, le Louchat, qui s'y jette sur la rive gauche.

Profitant de l'éloignement relatif séparant les centres habités dans cette partie de son parcours, Ilia Brusch activa, durant toute cette journée, la marche de son embarcation, en ne pêchant que le minimum indispensable.

A la nuit, n'ayant capturé que tout juste le poisson nécessaire à sa consommation personnelle, il s'arrêta en pleine campagne, un peu en amont de la petite ville de Mundelkingen dont les habitants ne le croyaient certainement pas si proche.
A cette deuxième journée de navigation succéda la troisième, qui fut

presque identique. Ilia Brusch dériva rapidement devant Mundelkingen avant le lever du soleil, et il était encore de bonne heure qu'il avait déjà dépassé le gros bourg d'Ehingen. A quatre heures, il coupait l'Iller, important affluent de droite, et cinq heures n'avaient pas sonné, qu'il était amarré à un anneau de fer scellé dans le quai d'Ulm, première ville du royaume de Wurtemberg, après Stuttgart, sa capitale.

L'arrivée du célèbre lauréat n'avait pas été signalée. On ne l'attendait que le lendemain vers les dernières heures du soir. Il n'y eut donc pas l'empressement habituel. Très satisfait de son incognito, Ilia Brusch résolut d'employer la fin du jour à une visite sommaire de la ville.

Toutefois, dire que le quai était désert ne serait pas scrupuleusement exact. Il avait au moins un promeneur, et même tout portait à croire que ce promeneur attendait Ilia Brusch, puisque, depuis le moment où la barge était apparue, il l'avait suivie, en marchant le long de la rive. Selon toute probabilité, le lauréat de la Ligue Danubienne n'éviterait donc pas l'ovation habituelle.

Cependant, depuis que la barge était amarrée à quai, le promeneur solitaire ne s'en était pas rapproché. Il restait à quelque distance, paraissant observer, comme soucieux de n'être pas vu lui-même. C'était un homme de taille moyenne, sec, l'oeil vif, bien qu'il eût certainement dépassé la quarantaine, le corps serré dans un vêtement à la mode hongroise.

Il tenait à la main une valise de cuir.

Ilia Brusch, sans lui prêter aucune attention, amarra solidement son bateau, ferma la porte du tôt, s'assura que le couvercle des coffres était bien cadenassé, puis sauta à terre, et gagna la première rue remontant vers la ville.

L'homme aussitôt de lui emboîter le pas, après avoir rapidement déposé dans la barge la valise de cuir qu'il tenait à la main.

Traversée par le Danube, Ulm est wurtembergeoise sur la rive gauche, et bavaroise sur la rive droite, mais, sur les deux rives, c'est une ville bien allemande.

Ilia Brusch allait le long des vieilles rues bordées de vieilles boutiques à guichets, boutiques dans lesquelles la pratique n'entre guère et où les marchés se concluent à travers la devanture vitrée. Quand le vent siffle, quel tapage de ferrailles sonores, alors que se balancent, au bout de leurs bras, les pesantes enseignes découpées en ours, en cerfs, en croix et en couronnes !

Ilia Brusch, après avoir gagné l'ancienne enceinte, parcourut le quartier, où bouchers, tripiers et tanneurs ont leurs séchoirs, puis, tout en flânant à l'aventure, il arriva devant la cathédrale, l'une des plus hardies de l'Allemagne. Son munster avait l'ambition de s'élever plus haut que celui de Strasbourg. Cette ambition a été déçue, comme tant d'autres plus humaines, et l'extrême pointe de la flèche wurtembergeoise s'arrête à la hauteur de trois cent trente-sept pieds.

Ilia Brusch n'appartenant pas à la famille des grimpeurs, l'idée ne lui vint pas de monter au munster, d'où son regard aurait embrassé toute la ville et la campagne environnante.

S'il l'eût fait, il aurait été certainement suivi par cet inconnu, qui ne le quittait pas, sans qu'il s'aperçût de cette étrange poursuite. Du moins en fut-il accompagné, lorsque, entré dans la cathédrale, il en admira le tabernacle, qu'un voyageur français, M. Duruy, a pu comparer à un bastion avec logettes et mâchicoulis, et les stalles du choeur, qu'un artiste du XVe siècle a peuplées de personnages célèbres de l'époque.

L'un suivant l'autre, ils passèrent devant l'hôtel de ville, vénérable édifice du XIIe siècle, puis redescendirent vers le fleuve.

Avant d'arriver au quai, Ilia Brusch fit une halte de quelques instants, pour regarder une compagnie d'échassiers juchés sur leurs longues échasses, exercice très goûté à Ulm, bien qu'il ne soit pas imposé aux habitants, comme il l'est encore, dans l'antique cité universitaire de Tubingue, par un sol humide et raviné impropre à la marche des simples piétons.

Afin de mieux jouir de ce spectacle, dont les acteurs étaient une troupe de jeunes gens, de jeunes filles, de garçons et de fillettes, tous en joie, Ilia Brusch avait pris place dans un café. L'inconnu ne manqua pas de venir s'asseoir à une table voisine de la sienne, et tous deux se firent servir un pot de la bière fameuse du pays.

Dix minutes après, ils se remettaient en route, mais dans un ordre inverse à celui du départ. L'inconnu, maintenant, marchait le premier au pas accéléré, et quand Ilia Brusch, qui le suivait à son tour sans s'en douter, atteignit sa barge, il l'y trouva installé et paraissant attendre depuis longtemps. Il faisait encore grand jour. Ilia Brusch aperçut de loin cet intrus, confortablement assis sur le coffre d'arrière, une valise de cuir jaune à ses pieds.

Très surpris, il hâta le pas.

«Pardon, Monsieur, dit-il, en sautant dans son embarcation, vous faites erreur, je pense ?

—Nullement, répondit l'inconnu. C'est bien à vous que je désire parler.

—A moi ?

—A vous, monsieur Ilia Brusch.

—Dans quel but ?

—Pour vous proposer une affaire.

—Une affaire ! répéta le pêcheur très surpris.

—Et même une excellente affaire, affirma l'inconnu, qui invita du geste son interlocuteur à s'asseoir.

Invitation quelque peu incorrecte, à coup sûr, car il n'est pas d'usage d'offrir un siège à qui vous reçoit chez lui. Mais ce personnage parlait avec tant de décision et de tranquille assurance, qu'Ilia Brusch en fut impressionné. Sans mot dire, il obéit à l'offre incongrue.

—Comme tout le monde, reprit l'inconnu, je connais votre projet et je sais par conséquent que vous comptez descendre le Danube, en vivant exclusivement du produit de votre pêche. Je suis moi-même un amateur passionné de l'art de la pêche, et je désirerais vivement m'intéresser a votre entreprise.

—De quelle façon ?

—Je vais vous le dire. Mais, auparavant, permettez-moi une question. A combien estimez-vous la valeur du poisson que vous pécherez au cours de votre voyage.

—Ce que pourra rapporter ma pêche ?

—Oui. J'entends ce que vous en vendrez, sans tenir compte de ce que vous consommerez personnellement.

—Peut-être une centaine de florins.

—Je vous en offre cinq cents.

—Cinq cents florins ! répéta Ilia Brusch abasourdi.

—Oui, cinq cents florins payés comptant et d'avance.

Ilia Brusch regarda l'auteur de cette singulière proposition, et son regard devait être très éloquent, car celui-ci répondit à la pensée que le pêcheur n'exprimait pas.

—Soyez tranquille, monsieur Brusch. J'ai tout mon bon sens.

—Alors, quel est votre but ? demanda le lauréat mal convaincu.

—Je vous l'ai dit, expliqua l'inconnu. Je désire m'intéresser à vos prouesses, y assister même. Et puis, il y a aussi l'émotion du joueur. Après avoir mis sur votre chance cinq cents florins, cela m'amusera de voir la somme rentrer par fractions tous les soirs, au fur et à mesure de vos ventes.

—Tous les soirs ? insista Ilia Brusch. Vous auriez donc l'intention de vous embarquer avec moi ?

—Certainement, dit l'inconnu. Bien entendu, mon passage ne serait pas compris dans nos conventions et serait payé par une égale somme de cinq cents florins, ce qui fera mille florins au total, toujours comptant et d'avance.

—Mille florins ! répéta derechef Ilia Brusch de plus en plus surpris.

Certes, la proposition était tentante. Mais il est à supposer que le pêcheur tenait à sa solitude, car il répondit brièvement :

—Mes regrets, Monsieur. Je refuse.

Devant une réponse aussi catégorique, formulée d'un ton péremptoire, il n'y avait qu'à s'incliner. Tel n'était pas l'avis, sans doute, du passionné amateur de pêche, qui ne parut aucunement impressionné par la netteté du refus.

—Me permettrez-vous, monsieur Brusch, de vous demander pourquoi ? Interrogea-t-il placidement.

—Je n'ai pas de raisons à donner.

Je, refuse, voilà tout. C'est mon droit, je pense, répondit Ilia Brusch avec un commencement d'impatience.

—C'est votre droit, assurément, reconnut sans s'émouvoir son interlocuteur. Mais je n'excède pas le mien en vous priant de bien vouloir me faire connaître les motifs de votre décision. Ma proposition n'était nullement désobligeante, au contraire, et il est naturel que je sois traité avec courtoisie.

Ces mots avaient été débités d'une manière qui n'avait rien de comminatoire, mais le ton était si ferme, si plein d'autorité même, qu'Ilia Brusch en fut frappé. S'il tenait à sa solitude, il tenait encore plus sans doute à éviter une discussion intempestive, car il fit droit aussitôt à une observation en somme parfaitement justifiée.

—Vous avez raison, Monsieur, dit-il. Je vous dirai donc tout d'abord que j'aurais scrupule à vous laisser faire une opération certainement désastreuse.

—C'est mon affaire.

—C'est aussi la mienne, car mon intention n'est pas de pêcher au delà d'une heure par jour.

—Et le reste du temps ?

—Je godille pour activer la marche de mon bateau.

—Vous êtes donc pressé ?

Ilia Brusch se mordit les lèvres.

—Pressé ou non, répondit-il plus sèchement, c'est ainsi. Vous devez comprendre que, dans ces conditions, accepter vos cinq cents florins serait un véritable vol.

—Pas maintenant que je suis prévenu, objecta l'acquéreur sans se départir de son calme imperturbable.

—Tout de même, répliqua Ilia Brusch, à moins que je ne m'astreigne à pêcher tous les jours, ne fût-ce qu'une heure.

Or, je ne m'imposerai jamais une telle obligation. J'entends agir à ma fantaisie. Je veux être libre.

—Vous le serez, déclara l'inconnu. Vous pécherez quand il vous plaira, et seulement quand il vous plaira. Cela augmentera même les charmes du jeu. D'ailleurs, je vous sais assez habile pour que deux ou trois coups heureux suffisent à m'assurer un bénéfice, et je considère toujours l'affaire comme excellente. Je persiste donc à vous offrir cinq cents florins à forfait, soit mille florins, passage compris.

—Et je persiste à les refuser.

—Alors, je répéterai ma question : Pourquoi ?

Une telle insistance avait véritablement quelque chose de déplacé. Ilia Brusch, fort calme de son naturel, commençait néanmoins à perdre patience.

—Pourquoi ? répondit-il plus vivement. Je vous l'ai dit, je crois. J'ajouterai, puisque vous l'exigez, que je ne veux personne à bord. Il n'est pas défendu, je suppose, d'aimer la solitude.

—Certes, reconnut son interlocuteur sans faire le moins du monde mine de quitter le banc sur lequel il semblait incrusté. Mais, avec moi, vous serez seul. Je ne bougerai pas de ma place et même je ne dirai pas un mot, si vous m'imposez cette condition.

—Et la nuit ? répliqua Ilia Brusch, que la colère gagnait. Pensez-vous que deux personnes seraient à leur aise dans ma cabine ?

—Elle est assez grande pour les contenir, répondit l'inconnu. D'ailleurs, mille florins peuvent bien compenser un peu de gêne.

—Je ne sais pas s'ils le peuvent, riposta Ilia Brusch de plus en plus irrité, mais moi je ne le veux pas.

C'est non, cent fois non, mille fois non. Voilà qui est net, je pense.

—Très net, approuva l'inconnu.

—Alors ?.. demanda Ilia Brusch en montrant le quai de la main.

Mais son interlocuteur parut ne pas comprendre ce geste pourtant si clair. Il avait tiré une pipe de sa poche et la bourrait avec soin. Un pareil aplomb exaspéra Ilia Brusch.

—Faudra-t-il donc que je vous dépose à terre ? s'écria-t-il hors de lui.

L'inconnu avait achevé de bourrer sa pipe.

—Vous auriez tort, dit-il, sans que sa voix trahît la moindre crainte. Et cela, pour trois raisons. La première, c'est qu'une rixe ne pourrait manquer de provoquer l'intervention de la police, ce qui nous obligerait à aller tous deux chez le commissaire décliner nos noms et prénoms et répondre à un interminable interrogatoire. Cela ne m'amuserait guère, je l'avoue, et, d'un autre côté, cette aventure serait peu propre à abréger votre voyage, comme vous semblez le désirer...

L'obstiné amateur de pêche comptait-il beaucoup sur cet argument ? Si tel était son espoir, il avait lieu d'être satisfait. Ilia Brusch, subitement radouci, semblait disposé à écouter jusqu'au bout le plaidoyer. Le disert orateur, très occupé à allumer sa pipe, ne s'aperçut pas, d'ailleurs, de l'effet produit par ses paroles.

Il allait reprendre sa placide argumentation, quand, à cet instant précis, une troisième personne, qu'Ilia Brusch, absorbé par la discussion, n'avait pas vue s'approcher, sauta dans la barge. Ce nouveau venu portait l'uniforme des gendarmes allemands.

—Monsieur Ilia Brusch ? demanda ce représentant de la force publique.

—C'est moi, répondit l'interpellé.

—Vos papiers, s'il vous plaît ?

La demande tomba comme une pierre au milieu d'une mare tranquille. Ilia Brusch fut visiblement anéanti.

—Mes papiers ?.. bégaya-t-il. Mais je n'ai pas de papiers, moi, si ce n'est des enveloppes de lettres et les quittances de loyer pour la maison que j'habite à Szalka. Cela vous suffit-il ?

—Ce ne sont pas des papiers, ça, répliqua le gendarme d'un air dégoûté. Un acte de baptême, une carte de circulation, un livret d'ouvrier, un passeport, voilà des papiers ! Avez-vous quelque chose de ce genre ?

—Absolument rien, dit Ilia Brusch avec désolation.

—C'est ennuyeux pour vous, murmura le gendarme, qui paraissait très sincèrement fâché d'être dans la nécessité de sévir.

—Pour moi ! protesta le pêcheur. Mais je suis un honnête homme, je vous prie de le croire.

—J'en suis convaincu, proclama le gendarme.

—Et je n'ai rien à craindre de personne. Je suis bien connu, du reste. C'est moi qui suis le lauréat du dernier concours de pêche de la Ligue Danubienne à Sigmaringen, dont toute la presse a parlé, et, ici même, j'aurai sûrement des répondants.

—On les cherchera, soyez tranquille, assura le gendarme. En attendant, je suis obligé de vous prier de me suivre chez le commissaire, qui s'assurera de votre identité.

—Chez le commissaire ! se récria Ilia Brusch. De quoi m'accuse-t-on?

—De rien du tout, expliqua le gendarme. Seulement, j'ai une consigne, moi. Cette consigne est de surveiller le fleuve et d'amener chez le commissaire tous ceux que je trouverai non munis de papiers en règle.

Etes-vous sur le fleuve ? Oui. Avez-vous des papiers ? Non. Donc, je vous emmène. Le reste ne me regarde pas.

—Mais c'est une indignité ! protesta Ilia Brusch, qui semblait au désespoir.

—C'est comme ça, déclara le gendarme avec flegme.
L'aspirant passager, dont le plaidoyer avait été si brusquement

interrompu, accordait à ce dialogue une attention telle qu'il en avait laissé éteindre sa pipe. Il jugea le moment venu d'intervenir.

—Si je répondais, moi, de M. Ilia Brusch, dit-il, cela ne suffirait-il pas?

—Ça dépend, prononça le gendarme. Qui êtes-vous, vous ?

—Voici mon passeport, répondit l'amateur de pêche, en tendant une feuille dépliée.

Le gendarme la parcourut des yeux, et aussitôt ses allures changèrent du tout au tout.

—C'est différent, dit-il.

Il replia soigneusement le passeport qu'il rendit à son propriétaire. Après quoi, sautant sur le quai :

—A vous revoir, Messieurs, dit-il, en adressant un salut plein de déférence au compagnon d'Ilia Brusch.

Quant à ce dernier, aussi étonné de la soudaineté de cet incident inattendu que de la façon dont il avait été solutionné, il suivait des yeux l'ennemi battant en retraite.

Pendant ce temps, son sauveur, reprenant le fil de son discours au point même où il avait été brisé, poursuivait impitoyablement :

—La deuxième raison, monsieur Brusch, c'est que le fleuve, pour des motifs que vous ignorez peut-être, est étroitement surveillé, comme vous en avez eu la preuve à l'instant.

Cette surveillance se fera plus étroite encore quand vous arriverez en aval, et plus encore, s'il est possible, quand vous traverserez la Serbie et les provinces bulgares de l'Empire ottoman, pays fort troublés et qui sont même officiellement en guerre depuis le 1er juillet. J'estime que plus d'un incident peut naître au cours de votre voyage, et que vous ne serez pas fâché d'avoir, le cas échéant, le concours d'un honnête bourgeois, qui a le bonheur de disposer de quelque influence.

Que ce second argument, dont la valeur venait d'être démontrée avant la lettre, fût de nature à porter, l'habile orateur était fondé à le croire. Mais il n'espérait sans doute pas un succès si complet. Ilia Brusch, pleinement convaincu, ne demandait qu'à céder. L'embarrassant était seulement de trouver un prétexte plausible à son revirement.

—La troisième et dernière raison, continuait cependant le candidat passager, c'est que je m'adresse à vous de la part de M. Miclesco, votre président. Puisque vous avez placé votre entreprise sous le patronage de la Ligue Danubienne, c'est bien le moins qu'elle surveille son exécution, de manière à être en état d'en garantir, au besoin, la loyauté. Quand M. Miclesco a connu mon intention de m'associer à votre voyage, il m'a donné un mandat quasi officiel dans ce sens. Je regrette de n'avoir pas prévu votre incompréhensible résistance, et d'avoir refusé les lettres de recommandation qu'il offrait de me remettre pour vous.

Ilia Brusch poussa un soupir de soulagement. Pouvait-il exister meilleur prétexte d'accorder maintenant ce qu'il refusait avec tant d'acharnement ?

—Il fallait le dire ! s'écria-t-il.

Dans ce cas, c'est fort différent, et j'aurais mauvaise grâce à repousser plus longtemps vos propositions.

—Vous les acceptez donc ?

—Je les accepte.

—Fort bien ! dit l'amateur de pêche enfin parvenu au comble de ses voeux, en tirant de sa poche quelques billets de banque. Voici les mille florins.

—En voulez-vous un reçu ? demanda Ilia Brusch.

—Si cela ne vous désoblige pas.

Le pêcheur tira de l'un des coffres de l'encre, une plume et un calepin, dont il déchira un feuillet, puis, aux dernières lueurs du jour, se mit en devoir de libeller le reçu qu'il lisait en même temps à haute voix.

«Reçu, en payement forfaitaire de ma pêche pendant toute la durée de mon présent voyage et pour prix de son passage d'Ulm à la mer Noire, la somme de mille florins de monsieur...

—De monsieur... ? répéta-t-il, la plume levée, d'un ton interrogateur.

Le passager d'Ilia Brusch était en train de rallumer sa pipe.

—Jaeger, 45, Leipzigerstrasse, Vienne,» répondit-il entre deux bouffées de tabac.

IV - SERGE LADKO.

Des diverses contrées de la terre, qui, depuis l'origine de la période historique, ont été spécialement éprouvées par la guerre,—en admettant qu'aucune contrée puisse se flatter d'avoir bénéficié d'une faveur relative à cet égard !—le Sud et le Sud-Est de l'Europe méritent d'être cités au premier rang. Par leur situation géographique, ces régions sont, en effet, avec la fraction de l'Asie comprise entre la mer Noire et l'Indus, l'arène où viennent fatalement se heurter les races concurrentes qui peuplent l'ancien continent.

Phéniciens, Grecs, Romains, Perses, Huns, Goths, Slaves, Magyars, Turcs et tant d'autres, se sont disputé tout ou partie de ces malheureuses contrées, sans préjudice des hordes alors sauvages qui n'ont fait que les traverser, pour aller s'établir dans l'Europe centrale et occidentale, où, par une lente élaboration, elles ont engendré les nationalités modernes.

Pas plus que leur tragique passé, l'avenir pour elles ne serait riant, à en croire nombre de savants prophètes. D'après eux, l'invasion jaune y ramènera nécessairement un jour ou l'autre les carnages de l'antiquité et du moyen âge. Ce jour venu, la Russie méridionale, la Roumanie, la Serbie, la Bulgarie, la Hongrie, la Turquie même bien étonnée de jouer un pareil rôle—si toutefois le pays qu'on nomme ainsi aujourd'hui est encore à cette époque au pouvoir des fils d'Osman—seront par la force des choses le rempart avancé de l'Europe, et c'est à leurs dépens que se décideront les premiers chocs.

En attendant ces cataclysmes, dont l'échéance est, à tout le moins, fort lointaine, les diverses races qui, au cours des âges, se sont superposées entre la Méditerranée et les Karpathes ont fini par se tasser vaille que vaille, et la paix—oh ! cette paix relative des nations dites civilisées—n'a cessé d'étendre son empire vers l'Est.

Les troubles, les pillages, les meurtres à l'état endémique paraissent désormais limités à la partie de la péninsule des Balkans encore gouvernée par les Osmanlis.

Entrés pour la première fois en Europe en 1356, maîtres de Constantinople en 1453, les Turcs se heurtèrent aux précédents envahisseurs, qui, venus avant eux de l'Asie centrale et depuis longtemps convertis au christianisme, commençaient dès lors à s'amalgamer aux populations indigènes et à s'organiser en nations régulières et stables. Perpétuel recommencement de l'éternelle bataille pour la vie, ces nations naissantes défendirent avec acharnement ce qu'elles-mêmes avaient pris à d'autres. Slaves, Magyars, Grecs, Croates, Teutons opposèrent à l'invasion turque une vivante barrière, qui, si elle fléchit par endroits, ne put être nulle part complètement renversée.

Contenus en deçà des Karpathes et du Danube, les Osmanlis furent même incapables de se maintenir dans ces limites extrêmes, et ce qu'on appelle la Question d'Orient n'est que l'histoire de leur retraite séculaire.

A la différence des envahisseurs qui les avaient précédés et qu'ils prétendaient déloger à leur profit, ces musulmans asiatiques n'ont jamais réussi à s'assimiler les peuples qu'ils soumettaient à leur pouvoir. Établis par la conquête, ils sont restés des conquérants commandant en maîtres à des esclaves. Aggravée par la différence des religions, une telle méthode de gouvernement ne pouvait avoir d'autre conséquence que la révolte permanente des vaincus.

L'histoire est pleine, en effet, de ces révoltes, qui, après des siècles de luttes, avaient abouti, en 1875, à l'indépendance plus ou moins complète de la Grèce, du Monténégro, de la Roumanie et de la Serbie.

Quant aux autres populations chrétiennes, elles continuaient à subir la domination des sectateurs de Mahomet.

Cette domination, dans les premiers mois de 1875, se fit plus lourde et plus vexatoire encore que de coutume. Sous l'influence d'une réaction musulmane qui triomphait alors au palais du Sultan, les chrétiens de l'Empire ottoman furent surchargés d'impôts, malmenés, tués, torturés de mille manières. La réponse ne se fit pas attendre. Au début de l'été, l'Herzégovine se souleva une fois de plus.

Des bandes de patriotes battirent la campagne, et, commandées par des chefs de valeur, comme Peko-Paulowitch et Luibibratich, infligèrent échecs sur échecs aux troupes régulières envoyées contre elles.

Bientôt l'incendie se propagea, gagna le Monténégro, la Bosnie, la Serbie. Une nouvelle défaite subie par les armes turques aux défilés de la Duga, en janvier 1876, acheva d'enflammer les courages, et la fureur populaire commença à gronder en Bulgarie. Comme toujours, cela débuta par de sourdes conspirations, par des réunions clandestines auxquelles se rendait en grand secret la jeunesse ardente du pays.

Dans ces conciliabules, les chefs se dégagèrent rapidement et affermirent leur autorité sur une clientèle plus ou moins nombreuse, les uns par l'éloquence du verbe, d'autres par la valeur de leur intelligence ou par l'ardeur de leur patriotisme. En peu de temps, chaque groupement, et, au-dessus des groupements, chaque ville eut le sien.

A Roustchouk, important centre bulgare situé au bord du Danube, presque exactement en face de la ville roumaine de Giurgievo, l'autorité fut dévolue sans conteste au pilote Serge Ladko.

On n'aurait pu faire un meilleur choix.

Agé de près de trente ans, de haute taille, blond comme un Slave du Nord, d'une force herculéenne, d'une agilité peu commune, rompu à tous les exercices du corps, Serge Ladko possédait cet ensemble de qualités physiques qui facilite le commandement. Ce qui vaut mieux, il avait aussi les qualités morales nécessaires à un chef : l'énergie dans la décision, la prudence dans l'exécution, l'amour passionné de son pays.

Serge Ladko était né à Roustchouk, où il exerçait la profession de pilote du Danube, et il n'avait jamais quitté la ville, si ce n'est pour conduire, soit vers Vienne ou plus en amont encore, soit jusqu'aux flots de la mer Noire, les barges et chalands qui s'en remettaient à sa connaissance parfaite du grand fleuve. Dans l'intervalle de ces navigations mi-fluviales, mi-maritimes, il consacrait ses loisirs à la pêche, et, servi par des dons naturels exceptionnels, il avait acquis une étonnante habileté dans cet art, dont les produits, joints à ses honoraires de pilotage, lui assuraient la plus large aisance.

Obligé par son double métier de passer sur le fleuve les quatre cinquièmes de sa vie, l'eau était peu à peu devenue son élément. Traverser le Danube, large à Roustchouk comme un bras de mer, n'était qu'un jeu pour lui, et l'on ne comptait plus les sauvetages de ce merveilleux nageur.

Une existence si digne et si droite avait, bien avant les troubles antiturcs, rendu Serge Ladko populaire à Roustchouk. Innombrables y étaient ses amis, parfois inconnus de lui. On pourrait même dire que ces amis comprenaient l'unanimité des habitants de la ville, si Ivan Striga n'avait pas existé.

C'était aussi un enfant du pays, cet Ivan Striga, comme Serge Ladko, dont il réalisait la vivante antithèse.

Physiquement, il n'y avait entre eux rien de commun, et pourtant un passeport, qui se contente de désignations sommaires, eût employé des termes identiques pour les dépeindre l'un et l'autre.

De même que Ladko, Striga était grand, large d'épaules, robuste, blond de cheveux et de barbe. Lui aussi avait les yeux bleus. Mais à ces traits généraux se limitait la ressemblance. Autant le visage aux lignes nobles de l'un exprimait la cordialité et la franchise, autant les traits tourmentés de l'autre disaient l'astuce et la froide cruauté.

Au moral, la dissemblance s'accentuait encore. Tandis que Ladko vivait au grand jour, nul n'aurait pu dire par quels moyens Striga se procurait l'or qu'il dépensait sans compter. Faute de certitudes à cet égard, l'imagination populaire se donnait libre carrière. On disait que Striga, traître à son pays et à sa race, s'était fait l'espion appointé du Turc oppresseur ; on disait qu'à son métier d'espion il ajoutait, quand l'occasion s'en présentait, celui de contrebandier, et que des marchandises de toute nature passaient souvent grâce à lui de la rive roumaine à la rive bulgare, ou réciproquement, sans payer de droits à la Douane ; on disait même, en hochant la tête, que tout cela était peu de chose, et que Striga tirait le plus clair de ses ressources de rapines vulgaires et de brigandages ; on disait encore... Mais que ne disait-on pas ? La vérité est qu'on ne savait rien de précis des faits et gestes de cet inquiétant personnage, qui, si les suppositions désobligeantes du public répondaient à la réalité, avait eu, en tous cas, la grande habileté de ne jamais se laisser prendre.

Ces suppositions, d'ailleurs, on se bornait à se les confier discrètement.

Personne ne se fût risqué à prononcer tout haut une parole contre un homme dont on redoutait le cynisme et la violence. Striga pouvait donc feindre d'ignorer l'opinion que l'on avait de lui, attribuer à l'admiration générale la sympathie que beaucoup lui témoignaient par lâcheté, parcourir la ville en pays conquis et la troubler, en compagnie de ses habitants les plus tarés, du scandale de ses orgies.

Entre un tel individu et Ladko, qui menait une existence si différente, il ne semblait pas que le moindre rapport dût s'établir, et pendant longtemps, en effet, ils ne connurent l'un de l'autre que ce que leur en apprenait la rumeur publique. Logiquement même, il aurait dû en être toujours ainsi. Mais le sort se rit de ce que nous appelons la logique, et il était écrit quelque part que les deux hommes se trouveraient face à face, transformés en irréconciliables adversaires.

Natcha Gregorevitch, célèbre dans toute la ville pour sa beauté, était âgée de vingt ans. Avec sa mère d'abord, seule ensuite, elle demeurait dans le voisinage de Ladko qu'elle avait ainsi connu dès sa première enfance. Depuis longtemps, le secours d'un homme manquait à la maison. Quinze ans avant l'époque où commence ce récit, le père était tombé, en effet, sous les coups des Turcs, et le souvenir de ce meurtre abominable faisait encore frémir d'indignation les patriotes opprimés, mais non asservis. Sa veuve, réduite à ne compter que sur elle-même, s'était mise courageusement au travail. Experte dans l'art de ces dentelles et de ces broderies dont, chez les Slaves, la plus modeste paysanne agrémente volontiers son humble parure, elle avait réussi par ce moyen à assurer sa subsistance et celle de sa fille.

Cependant, c'est aux pauvres surtout que sont funestes les périodes troublées, et plus d'une fois la dentellière aurait eu à souffrir de l'anarchie permanente de la Bulgarie, si Ladko n'était venu discrètement à son secours.

Peu à peu, une grande intimité s'était établie entre le jeune homme et les deux femmes qui offraient l'abri de leur paisible demeure à ses désoeuvrements de garçon. Souvent, le soir, il frappait à leur porte, et la veillée se prolongeait autour du samovar bouillant. D'autres fois, c'est lui qui leur offrait, en échange de leur affectueux accueil, la distraction d'une promenade ou d'une partie de pêche sur le Danube.

Lorsque Mme Gregorevitch, usée par son incessant labeur, alla rejoindre son mari, la protection de Ladko se continua à l'orpheline. Cette protection se fit même plus vigilante encore, et, grâce à lui, jamais la jeune fille n'eut à souffrir de la disparition de la pauvre mère, qui avait donné deux fois la vie à son enfant.

C'est ainsi que, de jour en jour, sans même qu'ils en eussent conscience, l'amour s'était éveillé dans le coeur des deux jeunes gens. Ce fut à Striga qu'ils en durent la révélation.

Celui-ci, ayant aperçu celle qu'on appelait couramment la beauté de Roustchouk, s'en était épris avec la soudaineté et la fureur qui caractérisaient cette nature sans frein. En homme habitué à voir tout plier devant ses caprices, il s'était présenté chez la jeune fille et, sans autre formalité, l'avait demandée en mariage. Pour la première fois de sa vie, il se heurta à une résistance invincible. Natcha, au risque de s'attirer la haine d'un homme aussi redoutable, déclara que rien ne pourrait jamais la décider à un pareil mariage. Striga revint vainement à la charge. Tout ce qu'il obtint fut de se voir, à la troisième tentative, refuser purement et simplement la porte.

Alors sa colère ne connut plus de bornes.

Donnant libre cours à sa nature sauvage, il se répandit en imprécations dont Natcha fut épouvantée. Dans sa détresse, elle courut faire part de ses craintes à Serge Ladko, que sa confidence enflamma d'une colère égale à celle qui venait de l'effrayer si fort. Sans vouloir rien entendre, avec une violence extraordinaire d'expressions, il vitupéra contre l'homme assez osé pour lever les yeux sur elle.

Ladko consentit pourtant à se calmer. Des explications suivirent, très confuses, mais dont le résultat fut parfaitement clair. Une heure plus tard, Serge et Natcha, le ciel dans les yeux et la joie au coeur, échangeaient leur premier baiser de fiançailles.

Lorsque Striga connut la nouvelle, il manqua mourir de rage. Audacieusement, il se présenta à la maison Gregorevitch, l'injure et la menace à la bouche. Jeté dehors par une main de fer, il apprit que la maison avait désormais un homme pour la défendre.

Etre vaincu !... Avoir trouvé son maître, lui, Striga, qui s'enorgueillissait tant de sa force athlétique !... C'était plus d'humiliations qu'il n'en pouvait supporter, et il résolut de se venger. Avec quelques aventuriers de son acabit, il attendit Ladko, un soir que celui-ci remontait la berge du fleuve. Cette fois, il ne s'agissait plus d'une simple rixe, mais bien d'un assassinat en règle. Les assaillants brandissaient des couteaux.

Cette nouvelle attaque n'eut pas plus de succès que la précédente. Armé d'un aviron qu'il manoeuvrait comme une massue, le pilote força ses agresseurs à la retraite, et Striga, serré de près, fut obligé à une fuite honteuse.

Cette leçon avait été suffisante, sans doute, car le louche personnage ne recommença pas sa criminelle tentative.

Au début de l'année 1875, Serge Ladko épousa Natcha Gregorevitch, et depuis lors, on s'adorait à plein coeur dans la confortable maison du pilote.

C'est au milieu de cette lune de miel, dont plus d'une année n'avait pas atténué l'éclat, que survinrent les événements de Bulgarie, dans les premiers mois de 1876. L'amour que Serge Ladko éprouvait pour sa femme ne pouvait, quelque profond fût-il, lui faire oublier celui qu'il devait à son pays. Sans hésiter, il fit partie de ceux qui, tout de suite, se groupèrent, se concertèrent, s'ingéniant à chercher les moyens de remédier aux misères de la patrie.

Avant tout, il fallait se procurer des armes. De nombreux jeunes gens émigrèrent dans ce but, franchirent le fleuve, se répandirent en Roumanie, et jusqu'en Russie. Serge Ladko fut de ceux-là. Le coeur déchiré de regrets, mais ferme dans l'accomplissement de son devoir, il partit, laissant loin de lui celle qu'il adorait exposée à tous les dangers qui menacent, en temps de révolution, la femme d'un chef de partisans.

A ce moment, le souvenir de Striga lui vint à l'esprit et aggrava ses inquiétudes. Le bandit n'allait-il pas profiter de l'absence de son heureux rival pour le frapper dans ce qu'il avait de plus cher ? C'était possible, en effet. Mais Serge Ladko passa outre à cette crainte légitime. D'ailleurs, il semblait bien que, depuis plusieurs mois, Striga avait quitté le pays sans esprit de retour.

A en croire le bruit public, il avait transporté plus au Nord le théâtre principal de ses opérations. Si les racontars ne manquaient pas à ce sujet, ils restaient incohérents et contradictoires. La rumeur populaire l'accusait en gros de tous les crimes, sans que personne en précisât aucun.

Le départ de Striga paraissait, du moins, chose certaine, et cela seulement importait à Ladko.

L'événement donna raison à son courage.

Pendant son absence, rien ne menaça la sécurité de Natcha.

A peine arrivé, il dut repartir, et cette seconde expédition allait être plus longue que la première. Les procédés adoptés jusqu'ici ne permettaient, en effet, de se procurer des armes qu'en quantité insuffisante. Les transports, en provenance de la Russie, étaient effectués par terre, à travers la Hongrie et la Roumanie, c'est-à-dire dans des contrées fort dépourvues à cette époque de lignes ferrées. Les patriotes bulgares espérèrent arriver plus aisément au résultat désiré, si l'un d'eux remontait à Budapest et y centralisait les envois d'armes venus par rail, pour en charger des chalands qui descendraient ensuite rapidement le Danube.

Ladko, désigné pour cette mission de confiance, se mit en route le soir même. En compagnie d'un compatriote, qui devait ramener le bateau à la rive bulgare, il traversa le fleuve, afin de gagner, le plus vite possible, à travers la Roumanie, la capitale de la Hongrie. A ce moment, un incident se produisit qui donna beaucoup à penser au délégué des conspirateurs.

Son compagnon et lui n'étaient pas à cinquante mètres du bord quand un coup de feu retentit. La balle leur était destinée sans aucun doute, car ils l'entendirent siffler à leurs oreilles, et le pilote en douta d'autant moins que, dans le tireur entrevu à l'obscure lumière du crépuscule, il crut reconnaître Striga. Celui-ci était donc de retour à Roustchouk ?

L'angoisse mortelle que cette complication lui fit éprouver n'ébranla pas la résolution de Ladko : Il avait fait d'avance à la patrie le sacrifice de sa vie. Il saurait aussi, s'il le fallait, lui sacrifier plus encore : son bonheur mille fois plus précieux.

Au bruit du coup de feu, il s'était laissé tomber au fond de l'embarcation. Mais ce n'était là qu'une ruse de guerre destinée à éviter une nouvelle attaque, et la détonation n'avait pas cessé de se répercuter dans la campagne, que sa main, appuyant plus lourdement sur l'aviron, poussait plus vite le bateau vers la ville roumaine de Giurgievo, dont les lumières commençaient à piquer la nuit grandissante.

Parvenu à destination, Ladko s'occupa activement de sa mission.

Il se mit en rapport avec les émissaires du Gouvernement du Tzar, les uns arrêtés à la frontière russe, certains fixés incognito à Budapest et à Vienne. Plusieurs chalands, chargés par ses soins d'armes et de munitions, descendirent le courant du Danube.

Fréquentes étaient les nouvelles qu'il recevait de Natcha, par des lettres envoyées au nom d'emprunt qu'il avait choisi, et portées en territoire roumain à la faveur de la nuit. Bonnes tout d'abord, ces nouvelles ne tardèrent pas à devenir plus inquiétantes. Ce n'est pas que Natcha prononçât le nom de Striga. Elle semblait même ignorer que le bandit fût revenu en Bulgarie, et Ladko commença à douter du bien-fondé de ses craintes. Par contre, il était certain que celui-ci avait été dénoncé aux autorités turques, puisque la police avait fait irruption dans sa demeure et s'était livrée à une perquisition, d'ailleurs sans résultat. Il ne devait donc pas se hâter de revenir en Bulgarie, car son retour eût été un véritable suicide. On connaissait son rôle, on le guettait, jour et nuit, et il ne pourrait se montrer en ville sans être arrêté au premier pas. Arrêté étant, chez les Turcs, synonyme d'exécuté, il fallait donc que Ladko s'abstint de reparaître, jusqu'au moment où la révolte serait ouvertement proclamée, sous peine d'attirer les pires malheurs sur lui-même et sur sa femme, que l'on n'avait jusqu'ici nullement inquiétée.

Ce moment ne tarda pas à arriver.

La Bulgarie se souleva au mois de mai, trop prématurément au gré du pilote qui augurait mal de cette précipitation.

Quelle que fût son opinion à cet égard, il devait courir au secours de son pays. Le train l'amena à Zombor, la dernière ville hongroise, proche du Danube, qui fût alors desservie par le chemin de fer. Là, il s'embarquerait et n'aurait plus qu'à s'abandonner au courant.

Les nouvelles qu'il trouva à Zombor le forcèrent à interrompre son voyage. Ses craintes n'étaient que trop justifiées. La révolution bulgare était écrasée dans l'oeuf. Déjà la Turquie concentrait des troupes nombreuses dans un vaste triangle dont Roustchouk, Widdin et Sofia formaient les sommets, et sa main de fer s'appesantissait plus lourdement sur ces malheureuses contrées.
Ladko dut revenir en arrière et retourner attendre de meilleurs jours dans la petite ville où il avait fixé sa résidence.

Les lettres de Natcha, qu'il y reçut bientôt, lui démontrèrent l'impossibilité de prendre un autre parti. Sa maison était surveillée plus que jamais, à ce point que Natcha devait se considérer comme virtuellement prisonnière ; plus que jamais on le guettait, et il lui fallait, dans l'intérêt commun, s'abstenir soigneusement de toute démarche imprudente.

Ladko rongea donc son frein dans l'inaction, les envois d'armes ayant été forcément supprimés depuis l'avortement de la révolte et la concentration des troupes turques sur les rives du fleuve. Mais cette attente, déjà pénible par elle-même, lui devint tout à fait intolérable, quand, vers la fin du mois de juin, il cessa de recevoir aucune nouvelle de sa chère Natcha.

Il ne savait que penser, et ses inquiétudes devinrent de torturantes angoisses à mesure que le temps s'écoula.

Il était, en effet, en droit de tout craindre. Le 1er juillet, la Serbie avait officiellement déclaré la guerre au Sultan, et, depuis lors, la région du Danube était sillonnée de troupes, dont le passage incessant s'accompagnait des plus terribles excès. Fallait-il donc compter Natcha au nombre des victimes de ces troubles, ou bien avait-elle été incarcérée par les autorités turques, soit comme otage, soit comme complice présumée de son mari ?

Après un mois de ce silence, il ne put le supporter davantage, et se résolut à tout braver pour rentrer en Bulgarie afin d'en connaître la véritable cause.

Toutefois, dans l'intérêt même de Natcha, il importait d'agir avec prudence. Aller sottement se faire prendre par les sentinelles turques n'eût servi de rien. Son retour n'aurait d'utilité que s'il pouvait pénétrer dans la ville de Roustchouk et y circuler librement, malgré les soupçons dont il était l'objet. Il agirait ensuite au mieux, selon les circonstances. Au pis aller, et dût-il repasser précipitamment la frontière, il aurait eu du moins la joie de serrer sa femme sur son coeur.

Serge Ladko chercha pendant plusieurs jours la solution de ce difficile problème. Il crut enfin l'avoir trouvée, et, sans se confier à personne, mit immédiatement à exécution le plan imaginé par lui.

Ce plan réussirait-il ? L'avenir le lui dirait. Il fallait, en tous cas, tenter le sort, et c'est pourquoi, dans la matinée du 28 juillet 1876, les plus proches voisins du pilote, dont nul ne connaissait le nom véritable, aperçurent hermétiquement close la petite maison dans laquelle, depuis plusieurs mois, il avait abrité sa solitude.

Quel était le plan de Ladko, les dangers auxquels il allait s'exposer en s'efforçant de le réaliser, par quels côtés les événements de Bulgarie, et de Roustchouk en particulier, se relient au concours de pêche de Sigmaringen, c'est ce que le lecteur apprendra dans la suite de ce récit nullement imaginaire, dont les principaux personnages vivent encore de nos jours sur les bords du Danube.

V - KARL DRAGOCH.

Aussitôt qu'il eut son reçu en poche, M. Jaeger procéda à son installation. Après s'être enquis de la couchette qui lui était attribuée, il disparut dans la cabine, en emportant sa valise. Dix minutes plus tard, il en ressortait, transformé de la tête aux pieds. Vêtu comme un pêcheur fini,—rude vareuse, bottes fortes, casquette de loutre,—il semblait la copie d'Ilia Brusch.

M. Jaeger éprouva un peu de surprise, en constatant que, pendant sa courte absence, son hôte avait quitté la barge. Respectueux de ses engagements, il ne se permit toutefois aucune question, quand celui-ci revint, une demi-heure plus tard. C'est sans l'avoir sollicité qu'il apprit qu'Ilia Brusch avait cru devoir envoyer quelques lettres aux journaux, afin de leur annoncer son arrivée à Neustadt pour le surlendemain soir, et à Ratisbonne pour le jour suivant. Maintenant que les intérêts de M. Jaeger étaient en jeu, il importait en effet de ne plus rencontrer un désert pareil à celui qu'on avait trouvé à Ulm. Ilia Brusch exprima même le regret de ne pouvoir s'arrêter aux villes qu'on traverserait avant Neustadt, et notamment à Neubourg et à Ingolstadt, qui sont des cités assez importantes. Ces arrêts, malheureusement, ne cadraient pas avec son plan d'étapes et il était forcé d'y renoncer.

M. Jaeger parut enchanté de la réclame faite à son profit et ne manifesta pas autrement d'ennui de ne pouvoir s'arrêter à Neubourg et à Ingolstadt. Il approuva son hôte, au contraire, et l'assura une fois de plus qu'il n'entendait aucunement diminuer sa liberté, ainsi qu'ils en étaient convenus.

Les deux compagnons soupèrent ensuite face à face, à cheval sur l'un des bancs. A titre de bienvenue, M. Jaeger corsa même le menu d'un superbe jambon, qu'il sortit de son inépuisable valise, et ce produit de la ville de Mayence fut fort apprécié d'Ilia Brusch, qui commença à estimer que son convive avait du bon.

La nuit se passa sans incident. Avant le lever du soleil, Ilia Brusch largua les amarres, en évitant de troubler le profond sommeil dans lequel était plongé son aimable passager.

A Ulm, où il achève de traverser le petit royaume de Wurtemberg pour pénétrer en Bavière, le Danube n'est encore qu'un modeste cours d'eau. Il n'a pas reçu les grands tributaires qui accroissent sa puissance en aval, et rien ne permet de présager qu'il va devenir l'un des plus importants fleuves de l'Europe.

Le courant, déjà fort assagi, atteignait à peu près une lieue à l'heure. Des barques de toutes dimensions, parmi lesquelles quelques lourds bateaux chargés à couler, le descendaient, s'aidant parfois d'une large voile que gonflait une brise de Nord-Ouest. Le temps s'annonçait beau, sans menace de pluie.

Dès qu'il fut au milieu du courant, Ilia Brusch manoeuvra sa godille et activa la marche de l'embarcation. M. Jaeger, quelques heures plus tard, le trouva livré à cette occupation, et jusqu'au soir il en fut ainsi, sauf un court repos au moment du déjeuner, pendant lequel la dérive ne fut même pas interrompue. Le passager ne formula aucune observation, et, s'il fut étonné de tant de hâte, il garda son étonnement pour lui.

Peu de paroles furent échangées au cours de cette journée. Ilia Brusch godillait énergiquement. Quant à M. Jaeger, il observait avec une attention, qui aurait certainement frappé son hôte, si celui-ci eût été moins absorbé, les bateaux qui sillonnaient le Danube, à moins que son regard n'en parcourût les deux rives.

Ces rives étaient notablement abaissées. Le fleuve montrait même une tendance à s'élargir aux dépens des alentours. La berge de gauche, à demi submergée, ne se distinguait plus avec précision, tandis que, sur la berge droite, élevée artificiellement pour l'établissement de la voie ferrée, les trains couraient, les locomotives haletaient, mêlant leurs fumées à celles des dampsboots, dont les roues battaient l'eau à grand bruit.

A Offingen, devant lequel on passa dans l'après-midi, la voie ferrée obliqua vers le Sud, définitivement repoussée par le fleuve et la rive droite fut transformée à son tour en un vaste marais, dont rien n'indiquait la fin, lorsqu'on s'arrêta, le soir, à Dillingen, pour la nuit.

Le lendemain, après une étape aussi rude que celle de la veille, le grappin fut jeté en un point désert, à quelques kilomètres au-dessus de Neubourg, et, de nouveau, l'aube du 15 août se leva quand la barge était déjà au milieu du courant.

C'est pour le soir de ce jour qu'Ilia Brusch avait annoncé son arrivée à Neustadt. Il eût été honteux de s'y présenter les mains vides. Les conditions atmosphériques étant favorables et l'étape devant être sensiblement plus courte que les précédentes, Ilia Brusch se résolut donc à pêcher.

Dès les premières heures du jour, il vérifia ses engins, avec un soin minutieux. Son compagnon, assis à l'arrière de la barque, semblait d'ailleurs s'intéresser à ses préparatifs, ainsi qu'il sied à un véritable amateur. Tout en travaillant, Ilia Brusch ne dédaignait pas de causer.

«Aujourd'hui, comme vous le voyez, monsieur Jaeger, je me dispose à pêcher, et les apprêts de la pêche sont un peu longs.

C'est que le poisson est défiant de sa nature, et on ne saurait prendre trop de précautions pour l'attirer. Certains ont une intelligence rare, entre autres la tanche. Il faut lutter de ruse avec elle, et sa bouche est tellement dure, qu'elle risque de casser la ligne.

—Pas fameux, la tanche, je crois, fit observer M. Jaeger.

—Non, car elle affectionne les eaux bourbeuses, ce qui communique souvent à sa chair un goût désagréable.

—Et le brochet ?

—Excellent, le brochet, déclara Ilia Brusch, à la condition de peser au moins cinq ou six livres ; quant aux petits, ils ne sont qu'arêtes. Mais, dans tous les cas, le brochet ne saurait être rangé parmi les poissons intelligents et rusés.

—Vraiment, monsieur Brusch ! Ainsi donc, les requins d'eau douce, comme on les appelle...

—Sont aussi bêtes que les requins d'eau salée, monsieur Jaeger. De véritables brutes, au même niveau que la perche ou l'anguille ! Leur pêche peut donner du profit, de l'honneur jamais... Ce sont, comme l'a écrit un fin connaisseur, des poissons «qui se prennent» et «qu'on ne prend pas».

M. Jaeger ne pouvait qu'admirer la conviction si persuasive d'Ilia Brusch, non moins que la minutieuse attention avec laquelle il préparait ses engins.

Tout d'abord, il avait saisi sa canne à la fois flexible et légère, qui, après avoir été ployée à son extrémité jusqu'à son point de rupture, s'était redressée aussi droite qu'auparavant. Cette canne se composait de deux parties, l'une forte à sa base de quatre centimètres et diminuant jusqu'à n'avoir plus qu'un centimètre à l'endroit où commençait la seconde, le scion, cette dernière en bois fin et résistant.

Faite d'une gaule de noisetier, elle mesurait près de quatre mètres de longueur, ce qui permettait au pêcheur de s'attaquer, sans s'éloigner de la rive, aux poissons de fond, tels que la brème et le gardon rouge.

Ilia Brusch, montrant à M. Jaeger les hameçons qu'il venait de fixer avec l'empile à l'extrémité du crin de Florence :

—Vous voyez, monsieur Jaeger, dit-il, ce sont des hameçons numéro onze, très fins de corps. Comme amorce, ce qu'il y a de meilleur, pour le gardon, c'est du blé cuit, crevé d'un côté seulement et bien amolli... Allons ! voilà qui est fini et je n'ai plus qu'à tenter la fortune.»

Tandis que M. Jaeger s'accotait contre le tôt, il s'assit sur le banc, son épuisette à sa portée, puis la ligne fut lancée après un balancement méthodique, qui n'était pas dépourvu d'une certaine grâce. Les hameçons s'enfoncèrent sous les eaux jaunâtres, et la plombée leur donna une position verticale, ce qui est préférable, de l'avis de tous les professionnels. Au-dessus d'eux, surnageait la flotte, faite d'une plume de cygne, qui, n'absorbant pas l'eau, est, par cela même, excellente.

Il va de soi qu'un profond silence régna dans l'embarcation à partir de ce moment. Le bruit des voix effarouche trop facilement le poisson, et d'ailleurs un pêcheur sérieux a autre chose à faire qu'à s'oublier en bavardages. Il doit être attentif à tous les mouvements de sa flotte, et ne pas laisser échapper l'instant précis où il convient de ferrer la proie.

Pendant cette matinée, Ilia Brusch eut lieu d'être satisfait. Non seulement il prit une vingtaine de gardons, mais encore douze chevesnes et quelques dards.

Si M. Jaeger avait en réalité les goûts du passionné amateur qu'il s'était vanté d'être, il ne pouvait qu'admirer la précision rapide avec laquelle son hôte ferrait, ainsi que cela est nécessaire pour les poissons de cette espèce. Dès qu'il sentait que «cela mordait», il se gardait bien de ramener aussitôt ses captures à la surface de l'eau, il les laissait se débattre dans les fonds, se fatiguer en vains efforts pour se décrocher, montrant ce sang-froid imperturbable qui est l'une des qualités de tout pêcheur digne de ce nom.

La pêche fut terminée vers onze heures. Pendant la belle saison, le poisson ne mord pas, en effet, aux heures où le soleil, parvenu à son point culminant, fait scintiller la surface des eaux. Le butin, d'ailleurs, était suffisamment abondant. Ilia Brusch craignait même qu'il ne le fût trop, en raison du peu d'importance de la ville de Neustadt où la barge s'arrêta vers cinq heures.

Il se trompait. Vingt-cinq ou trente personnes guettaient son apparition et le saluèrent de leurs applaudissements, dès que l'embarcation fut amarrée. Bientôt il ne sut auquel entendre, et, en quelques instants, les poissons furent échangés contre vingt-sept florins, qu'Ilia Brusch versa, séance tenante, à M. Jaeger à titre de premier dividende.

Celui-ci, conscient de n'avoir aucun droit à l'admiration publique, s'était modestement abrité sous le tôt, où Ilia Brusch vint le rejoindre, aussitôt qu'il put se débarrasser de ses enthousiastes admirateurs. Il convenait, en effet, de ne pas perdre de temps pour chercher le sommeil, la nuit devant être fort écourtée. Désireux d'être de bonne heure à Ratisbonne, dont près de soixante-dix kilomètres le séparaient, Ilia Brusch avait décidé qu'il se remettrait en route dès une heure du matin, ce qui lui donnerait le loisir de pêcher encore au cours de la journée suivante, malgré la longueur de l'étape.

Une trentaine de livres de poissons furent prises par Ilia Brusch avant midi, si bien que les curieux qui se pressaient sur le quai de Ratisbonne n'eurent pas le regret de s'être dérangés en vain. L'enthousiasme public augmentait visiblement. Il s'établit, en plein air, de véritables enchères entre les amateurs, et les trente livres de poissons ne rapportèrent pas moins de quarante et un florins au lauréat de la Ligue Danubienne.

Celui-ci n'avait jamais rêvé pareil succès, et il en arrivait à penser que M. Jaeger pourrait bien, en fin de compte, avoir fait une excellente affaire. En attendant que ce point fût élucidé, il importait de remettre les quarante et un florins à leur légitime propriétaire, mais Ilia Brusch fut dans l'impossibilité de s'acquitter de ce devoir. M. Jaeger avait, en effet, quitté discrètement la barge, en prévenant son compagnon, par un mot laissé en évidence, que celui-ci n'eût pas à l'attendre pour le souper et qu'il reviendrait seulement assez tard dans la soirée.

Ilia Brusch trouva fort naturel que M. Jaeger voulût profiter de cette occasion de visiter une ville qui fut pendant cinquante ans le siège de la diète impériale. Peut-être, aurait-il éprouvé moins de satisfaction et plus de surprise, s'il avait su à quelles occupations se livrait alors son passager, et s'il en avait connu la véritable personnalité.

«M. Jaeger, 45, Leipzigerstrasse, Vienne», avait docilement écrit Ilia Brusch sous la dictée du nouveau venu. Mais celui-ci eût été fort embarrassé si le pêcheur s'était montré plus curieux, et si, reprenant pour son compte une requête dont il venait d'apprécier le désagrément, il avait, à l'exemple de l'indiscret pandore, demandé à M. Jaeger de lui montrer ses papiers.

Ilia Brusch négligea cette précaution, dont la légitimité lui avait cependant été démontrée, et cette négligence devait avoir pour lui de terribles résultats.

Quel nom le gendarme allemand avait lu sur le passeport que lui présentait M. Jaeger, nul ne le sait ; mais, si ce nom était bien exactement celui du véritable propriétaire du passeport, le gendarme n'avait pu en lire un autre que celui de Karl Dragoch.

Le passionné amateur de pêche et le chef de la police danubienne ne faisaient, en effet, qu'une seule et unique personne. Résolu à s'introduire, coûte que coûte, dans l'embarcation d'Ilia Brusch, Karl Dragoch, prévoyant la possibilité d'une invincible résistance, avait dressé ses batteries en conséquence. L'intervention du gendarme était préparée, et la scène truquée comme une scène de théâtre. L'événement démontrait que Karl Dragoch avait frappé juste, puisque Ilia Brusch considérait maintenant comme une heureuse chance d'avoir, au milieu des dangers qui lui étaient révélés, ce protecteur dont il ne pouvait contester la puissance.

Le succès était même si complet que Dragoch en était troublé. Pourquoi, après tout, Ilia Brusch avait-il montré tant d'émotion devant l'injonction du gendarme ? Pourquoi avait-il une telle crainte de voir se rééditer une aventure de ce genre, qu'il sacrifiait à cette crainte l'amour—dont la violence avait bien aussi, d'ailleurs, quelque chose d'excessif—qu'il proclamait avoir pour la solitude ? Un honnête homme, que diable ! n'a pas à redouter si fort une comparution devant un commissaire de police. Le pis qui puisse en résulter, c'est un retard de quelques heures, de quelques jours à la rigueur, et quand on n'est pas pressé...

Il est vrai qu'Ilia Brusch était pressé, ce qui ne laissait pas de donner aussi à réfléchir.

Défiant par nature, comme tout bon policier, Karl Dragoch réfléchissait. Mais il avait aussi trop de bon sens pour se laisser égarer par des particularités fugitives, dont l'explication était probablement des plus simples. Il enregistra donc purement et simplement ces petites remarques dans sa mémoire, et appliqua les ressources de son esprit à la solution du problème, plus sérieux celui-là, qu'il s'était posé.

Le projet que Karl Dragoch avait mis à exécution, en s'imposant à Ilia Brusch à titre de passager, n'était pas né tout armé dans son cerveau. Le véritable auteur en était Michael Michaelovitch, qui, d'ailleurs, ne s'en doutait guère. Quand ce Serbe facétieux avait plaisamment insinué, au Rendez-vous des Pêcheurs, que le lauréat de la Ligue Danubienne pourrait bien être, au choix, soit le malfaiteur poursuivi, soit le policier poursuivant, Karl Dragoch avait accordé une sérieuse attention à ces propos émis à la légère. Certes, il ne les avait pas pris au pied de la lettre. Il avait de bonnes raisons de savoir que le pêcheur et le policier n'avaient rien de commun, et, procédant par analogie, il considéra comme infiniment vraisemblable que ce pêcheur n'eût pas plus de rapport avec le malfaiteur recherché. Mais, de ce qu'une chose n'a pas été faite, il ne s'ensuit pas qu'elle ne puisse l'être, et Karl Dragoch avait pensé aussitôt que le joyeux Serbe avait raison, et qu'un détective, désireux de surveiller le Danube tout à son aise, se fût, en effet, montré très habile, en empruntant la personnalité d'un pêcheur assez notoire pour que personne n'en puisse raisonnablement suspecter l'identité professionnelle.

Quelque tentante que fût cette combinaison, il y fallait cependant renoncer.

Le concours de Sigmaringen avait eu lieu, Ilia Brusch, vainqueur du tournoi, avait annoncé publiquement son projet, et certainement il ne se prêterait pas de bonne grâce à une substitution de personne, substitution très scabreuse, au surplus, puisque les traits du lauréat étaient désormais connus d'un grand nombre de ses collègues.

Toutefois, s'il fallait renoncer à ce qu'Ilia Brusch consentît à laisser effectuer sous son nom, par un autre que lui, le voyage qu'il avait entrepris, il existait peut-être un moyen terme d'arriver au même but. Dans l'impossibilité d'être Ilia Brusch, Karl Dragoch ne pouvait-il se contenter de prendre passage à son bord ? Qui ferait attention au compagnon d'un homme devenu presque célèbre et qui monopoliserait par conséquent à son profit l'intérêt général ? Et même, si quelqu'un laissait par inadvertance tomber un regard distrait sur ce compagnon obscur, était-il admissible qu'il établît le moindre rapprochement entre ce vague inconnu et le policier, qui accomplirait ainsi sa mission dans une ombre protectrice ?

Ce projet longuement examiné, Karl Dragoch, en dernière analyse, le jugea excellent, et résolut de le réaliser. On a vu avec quelle maëstria il avait machiné sa scène initiale, mais cette scène eût été, au besoin, suivie de beaucoup d'autres. S'il l'avait fallu, Ilia Brusch eût été traîné chez le commissaire, emprisonné même sous de spécieux prétextes, effrayé de cent façons. Karl Dragoch, on peut en être sûr, eût joué de l'arbitraire sans remords, jusqu'au moment où le pêcheur, terrifié, n'aurait plus vu qu'un sauveur dans le passager qu'il repoussait.

Le détective s'estimait heureux, toutefois, d'avoir triomphé sans employer cette violence morale et sans continuer la comédie plus loin que le premier acte.

Maintenant, il était dans la place, bien certain que, s'il faisait mine de vouloir la quitter, son hôte s'opposerait à son départ avec autant d'énergie qu'il s'était opposé à son entrée. Restait à tirer parti de la situation.

Pour cela, Karl Dragoch n'avait qu'à se laisser entraîner par le courant. Pendant que son compagnon pêcherait ou godillerait, il surveillerait le fleuve, où rien d'anormal n'échapperait à son regard expérimenté. Chemin faisant, il s'aboucherait avec ses hommes disséminés le long des rives. A la première nouvelle d'un délit ou d'un crime, il se séparerait d'Ilia Brusch pour se lancer sur les traces des malfaiteurs, et il en serait au besoin de même, si, en l'absence de tout crime ou de tout délit, un indice suspect attirait son attention.

Tout cela était sagement combiné et, plus il y pensait, plus Karl Dragoch s'applaudissait de son idée, qui, en lui assurant l'incognito sur toute la longueur du Danube, multipliait les chances du succès.

Malheureusement, en raisonnant ainsi, le détective ne tenait pas compte du hasard. Il ne se doutait guère qu'une série de faits des plus singuliers allait, dans peu de jours, aiguiller ses recherches dans une direction imprévue et donner à sa mission une ampleur inattendue.

VI - LES YEUX BLEUS.

En quittant la barge, Karl Dragoch gagna les quartiers du centre. Il connaissait Ratisbonne, et c'est sans hésiter sur la direction à suivre qu'il s'engagea à travers les rues silencieuses, flanquées çà et là de donjons féodaux à dix étages, de cette cité jadis bruyante, que n'anime plus guère une population tombée à vingt-six mille âmes.

Karl Dragoch ne songeait pas à visiter la ville, comme le croyait Ilia Brusch. Ce n'est pas en qualité de touriste qu'il voyageait. A peu de distance du pont, il se trouva en face du Dom, la cathédrale aux tours inachevées, mais il ne jeta qu'un coup d'oeil distrait sur son curieux portail de la fin du XVe siècle. Assurément, il n'irait pas admirer, au Palais des Princes de Tour et Taxis, la chapelle gothique et le cloître ogival, pas plus que la bibliothèque de pipes, bizarre curiosité de cet ancien couvent. Il ne visiterait pas davantage le Rathhaus, siège de la Diète autrefois, et aujourd'hui simple Hôtel de Ville, dont la salle est ornée de vieilles tapisseries, et où la chambre de torture avec ses divers appareils est montrée, non sans orgueil, par le concierge de l'endroit. Il ne dépenserait pas un trinkgeld, le pourboire allemand, à payer les services d'un cicérone. Il n'en avait pas besoin, et c'est sans le secours de personne qu'il se rendit au Bureau des Postes, où plusieurs lettres l'attendaient à des initiales convenues. Karl Dragoch, ayant lu ces lettres, sans que son visage décelât aucun sentiment, se disposait à sortir du bureau, lorsqu'un homme assez vulgairement vêtu l'accosta sur la porte.

Cet homme et Dragoch se connaissaient, car celui-ci d'un geste arrêta le nouveau venu au moment où il allait prendre la parole.

Ce geste signifiait évidemment : «Pas ici.» Tous deux se dirigèrent vers une place voisine.

«Pourquoi ne m'as-tu pas attendu sur le bord du fleuve ? demanda Karl Dragoch, quand il s'estima à l'abri des oreilles indiscrètes.

—Je craignais de vous manquer, lui fut-il répondu. Et, comme je savais que vous deviez venir à la poste...

—Enfin, te voilà, c'est l'essentiel, interrompit Karl Dragoch. Rien de neuf ?

—Rien.

—Pas même un vulgaire cambriolage dans la région ?

—Ni dans la région, ni ailleurs, le long du Danube s'entend.

—A quand remontent tes dernières nouvelles ?

—Il n'y a pas deux heures que j'ai reçu un télégramme de notre bureau central de Budapest. Calme plat sur toute la ligne.

Karl Dragoch réfléchit un instant.

—Tu vas aller au Parquet de ma part. Tu donneras ton nom, Friedrick Ulhmann, et tu prieras qu'on te tienne au courant s'il survenait la moindre chose. Tu partiras ensuite pour Vienne.

—Et nos hommes ?

—Je m'en charge. Je les verrai au passage. Rendez-vous à Vienne, d'aujourd'hui en huit, c'est le mot d'ordre.

—Vous laisserez donc le haut fleuve sans surveillance ? demanda Ulhmann.

—Les polices locales y suffiront, répondit Dragoch, et nous accourrons à la moindre alerte. Jusqu'ici, d'ailleurs, il ne s'est jamais rien passé, au-dessus de Vienne, qui soit de notre compétence. Pas si bêtes, nos bonshommes, d'opérer si loin de leur base.

—Leur base ?... répéta Ulhmann. Auriez-vous des renseignements particuliers ?

—J'ai, en tous cas, une opinion.

—Qui est ?...

—Trop curieux !... Quoi qu'il en soit, je te prédis que nous débuterons entre Vienne et Budapest.

—Pourquoi là plutôt qu'ailleurs ?

—Parce que c'est là que le dernier crime a été commis. Tu sais bien, ce fermier qu'ils ont fait «chauffer» et qu'on a retrouvé brûlé jusqu'aux genoux.

—Raison de plus pour qu'ils opèrent ailleurs la prochaine fois.

—Parce que ?...

—Parce qu'ils se diront que le district où ce crime a été perpétré doit être tout spécialement surveillé. Ils iront donc plus loin tenter la fortune. C'est ce qu'ils ont fait jusqu'ici. Jamais deux fois de suite au même endroit.»

—Ils ont raisonné comme des bourriques, et tu les imites, Friedrick Ulhmann, répliqua Karl Dragoch. Mais c'est bien sur leur sottise que je compte. Tous les journaux, comme tu as dû le voir, m'ont attribué un raisonnement analogue. Ils ont publié avec un parfait ensemble que je quittais le Danube supérieur, où, selon moi, les malfaiteurs ne se risqueraient pas à revenir, et que je partais pour la Hongrie méridionale. Inutile de te dire qu'il n'y a pas un mot de vrai là-dedans, mais tu peux être sûr que ces communications tendancieuses n'ont pas manqué de toucher les intéressés.

—Vous en concluez ?

—Qu'ils n'iront pas du côté de la Hongrie méridionale se jeter dans la gueule du loup.

—Le Danube est long, objecta Ulhmann.

Il y a la Serbie, la Roumanie, la Turquie...

—Et la guerre ?.. Rien à faire par là pour eux. Nous verrons bien, au surplus.

Karl Dragoch garda un instant le silence.

—A-t-on ponctuellement suivi mes instructions ? reprit-il.

—Ponctuellement.

—La surveillance du fleuve a été continuée ?

—Jour et nuit.

—Et l'on n'a rien découvert de suspect ?

—Absolument rien. Toutes les barges, tous les chalands ont leurs papiers en règle. A ce propos, je dois vous dire que ces opérations de contrôle soulèvent beaucoup de murmures. La batellerie proteste, et, si vous voulez mon opinion, je trouve qu'elle n'a pas tort. Les bateaux n'ont rien avoir dans ce que nous cherchons. Ce n'est pas sur l'eau que des crimes sont commis.

Karl Dragoch fronça les sourcils.

—J'attache une grande importance à la visite des barges, des chalands et même des plus petites embarcations, répliqua-t-il d'un ton sec. J'ajouterai, une fois pour toutes, que je n'aime pas les observations.

Ulhmann fit le gros dos.

—C'est bon, Monsieur, dit-il.

Karl Dragoch reprît :

—Je ne sais encore ce que je ferai... Peut-être m'arrêterai-je à Vienne. Peut-être pousserai-je jusqu'à Belgrade... Je ne suis pas fixé... Comme il importe de ne pas perdre de contact, tiens-moi au courant par un mot adressé en autant d'exemplaires qu'il sera nécessaire à ceux de nos hommes échelonnés entre Ratisbonne et Vienne.

—Bien, Monsieur, répondit Ulhmann.

Et moi ?.. Où vous reverrai-je ?

—A Vienne, dans huit jours, je te l'ai dit, répondit Dragoch.

Il réfléchit quelques instants.

—Tu peux te retirer, ajouta-t-il. Ne manque pas de passer au Parquet et prends ensuite le premier train.

Ulhmann s'éloignait déjà. Karl Dragoch le rappela.

—Tu as entendu parler d'un certain Ilia Brusch ? interrogea-t-il.

—Ce pêcheur qui s'est engagé à descendre le Danube la ligne à la main ?

—Précisément. Eh bien, si tu me vois avec lui, n'aie pas l'air de me connaître.»

Là-dessus, ils se séparèrent, Friedrick Ulhmann disparut vers le haut quartier, tandis que Karl Dragoch se dirigeait vers l'hôtel de la Croix-d'Or, où il comptait dîner.

Une dizaine de convives, causant de choses et d'autres, étaient déjà à table, lorsqu'il prit place à son tour. S'il mangea de grand appétit, Karl Dragoch ne se mêla point à la conversation. Il écoutait, par exemple, en homme qui a l'habitude de prêter l'oreille à tout ce qu'on dit autour de lui. Aussi ne put-il manquer d'entendre, quand l'un des convives demanda à son voisin :

«Eh bien, cette fameuse bande, on n'en a donc pas de nouvelles ?

—Pas plus que du fameux Brusch, répondit l'autre. On attendait son passage à Ratisbonne, et il n'a pas encore été signalé.

—C'est singulier.

—A moins que Brusch et le chef de la bande ne fassent qu'un.

—Vous voulez rire ?

—Eh !... qui sait ?..»

Karl Dragoch avait vivement relevé les yeux. C'était la seconde fois que cette hypothèse, décidément dans l'air, venait s'imposer à son attention. Mais il eut comme un imperceptible haussement d'épaules, et acheva son dîner sans prononcer une parole. Plaisanterie que tout cela. D'ailleurs, il était bien renseigné, ce bavard, qui ne connaissait même pas l'arrivée d'Ilia Brusch à Ratisbonne.

Son dîner terminé, Karl Dragoch redescendit vers les quais. Là, au lieu de regagner tout de suite la barge, il s'attarda quelques instants sur le vieux pont de pierre qui réunit Ratisbonne à Stadt-am-Hof, son faubourg, et laissa errer son regard sur le fleuve, où quelques bateaux glissaient encore en se hâtant de profiter de la lumière mourante du jour.

Il s'oubliait dans cette contemplation, quand une main se posa sur son épaule, en même temps que l'interpellait une voix familière.

«Il faut croire, monsieur Jaeger, que tout cela vous intéresse.

Karl Dragoch se retourna et vit, en face de lui, Ilia Brusch, qui le regardait en souriant.

—Oui, répondit-il, tout ce mouvement du fleuve est curieux. Je ne me lasse pas de l'observer.

—Eh ! monsieur Jaeger, dit Ilia Brusch. cela vous intéressera davantage, lorsque nous arriverons sur le bas fleuve, où les bateaux sont plus nombreux. Vous verrez, quand nous serons aux Portes de Fer !.. Les connaissez-vous ?

—Non, répondit Dragoch.

—Il faut avoir vu cela ! déclara Ilia Brusch. S'il n'y a pas au monde un plus beau fleuve que le Danube, il n'y a pas, sur tout le cours du Danube, un plus bel endroit que les Portes de Fer !..

Cependant la nuit était devenue complète.

La grosse montre d'Ilia Brusch marquait plus de neuf heures.

—J'étais en bas, dans la barge, lorsque je vous ai aperçu sur le pont, monsieur Jaeger, dit-il. Si je suis venu vous trouver, c'est pour vous rappeler que nous partons demain de très bonne heure, et que nous ferions bien, par conséquent, d'aller nous coucher.

—Je vous suis, monsieur Brusch, approuva Karl Dragoch.

Tous deux descendirent vers la rive. Comme ils tournaient l'extrémité du pont, le passager de dire :

—Et la vente de notre poisson, monsieur Brusch ?.. Êtes-vous satisfait ?

—Dites enchanté, monsieur Jaeger ! Je n'ai pas à vous remettre moins de quarante et un florins !.

—Ce qui fera soixante-huit, avec les vingt-sept précédemment encaissés. Et nous ne sommes, qu'à Ratisbonne !.. Eh ! eh ! monsieur Brusch, l'affaire ne me paraît pas si mauvaise !

—J'en arrive à le croire,» reconnut le pêcheur.

Un quart d'heure plus tard, tous deux dormaient l'un près de l'autre, et, au soleil levant, l'embarcation était déjà à cinq kilomètres de Ratisbonne.

En aval de cette ville, les rives du Danube présentent des aspects très différents. Sur la droite se succèdent à perte de vue de fertiles plaines, une riche et productive campagne, où ne manquent ni les fermes, ni les villages, tandis que, sur la gauche, se massent des forêts profondes et s'étagent des collines qui vont se souder au Bohmerwald.

En passant, M. Jaeger et Ilia Brusch purent apercevoir, au-dessus de la bourgade de Donaustauf, le Palais d'été des Princes de Tour et Taxis, et le vieux château épiscopal de Ratisbonne, puis, au delà, sur le Savaltorberg, le Walhalla, ou «Séjour des élus», sorte de Parthénon égaré sous le ciel bavarois, qui n'est point celui de l'Attique, et dont la construction est due au roi Louis.

A l'intérieur, c'est un musée, où figurent les bustes des héros de la Germanie, musée moins admirable que les belles dispositions architecturales de l'extérieur. Si le Walhalla ne vaut pas, en effet, le Parthénon d'Athènes, il l'emporte sur celui dont les Écossais ont décoré une des collines d'Édimbourg, la «vieille enfumée».

Longue est la distance séparant Ratisbonne de Vienne, lorsqu'on suit les méandres du Danube. Cependant, sur cette route liquide de près de quatre cent soixante-quinze kilomètres, les cités de quelque importance sont rares. On ne trouve guère a signaler que Straubing, entrepôt agricole de la Bavière, où la barge s'arrêta le soir du 18 août ; Passau, où elle arriva le 20, et Lintz qu'elle dépassa dans la journée du 21. En dehors de ces villes, dont les deux dernières ont une certaine valeur stratégique, mais dont aucune n'atteint vingt mille âmes il n'existe que d'insignifiantes agglomérations.

A défaut des oeuvres de l'homme, le touriste a, du moins, pour se défendre contre l'ennui, le spectacle toujours varié des rives du grand fleuve. Au-dessous de Straubing, où il s'étale déjà sur une largeur de quatre cents mètres, le Danube ne cesse de se resserrer, tandis que les premières ramifications des Alpes Rhétiques surélèvent peu à peu la rive droite.

A Passau, bâtie au confluent de trois cours d'eau, le Danube, l'Inn et l'Ils, dont les deux premiers comptent parmi les plus importants de l'Europe, on quitte l'Allemagne, et cette même rive droite devient autrichienne dans l'aval immédiat de la ville, tandis que c'est seulement quelques kilomètres plus bas, au confluent de la Dadelsbach, que la rive gauche commence à faire partie de l'empire des Habsbourg.

En ce point, le lit du fleuve est réduit à une étroite vallée de deux cents mètres environ qui va le conduire jusqu'à Vienne, tantôt s'élargissant au point de permettre la formation de véritables lacs parsemés d'îles et d'îlots, tantôt rapprochant plus encore ses parois entre lesquelles grondent les eaux furieuses.

Ilia Brusch paraissait n'accorder aucun intérêt à cette succession de spectacles changeants et toujours sublimes, et semblait uniquement préoccupé d'activer de toute la vigueur de ses bras l'allure de son embarcation. L'attention qu'il lui fallait apporter à la conduite de la barge eût, d'ailleurs, suffi à excuser son indifférence. Outre les difficultés résultant des bancs de sable, difficultés qui sont monnaie courante de la navigation danubienne, il en avait à vaincre de plus sérieuses. Quelques kilomètres avant Passau, il avait dû affronter les rapides de Wilshofen, puis, cent cinquante kilomètres plus bas, un peu au-dessous de Grein, l'une des villes les plus misérables de la Haute-Autriche, ce furent ceux autrement redoutables du Strudel et du Wirbel.

En cet endroit, la vallée devient un étroit couloir limité par des parois sauvages, entre lesquelles se précipitent les eaux bouillonnantes. Autrefois, de nombreux récifs rendaient ce passage des plus dangereux, et il n'était pas rare que la batellerie y éprouvât de graves dommages. Maintenant, le danger a notablement diminué. On a fait sauter à la mine les plus gênantes des roches qui s'échelonnaient d'une rive à l'autre. Les rapides ont perdu de leur fureur, les remous n'attirent plus les bateaux dans leurs tourbillons avec la même violence, et les catastrophes sont devenues moins fréquentes. Beaucoup de précautions, cependant, sont encore à prendre, autant pour les grands chalands que pour les petites embarcations.

Tout cela n'était pas pour embarrasser Ilia Brusch.

Il suivait les passes, évitait les bancs de sable, dominait les remous et les rapides, avec une étonnante habileté. Cette habileté, Karl Dragoch l'admirait, mais il ne laissait pas aussi d'être surpris qu'un simple pêcheur eût une science si parfaite du Danube et de ses traîtresses surprises.

Si Ilia Brusch étonnait Karl Dragoch, la réciproque n'était pas moins vraie. Le pêcheur admirait, sans y rien comprendre, l'étendue des relations de son passager. Si infime que fût le lieu choisi pour la halte du soir, il était rare que M. Jaeger n'y trouvât pas quelqu'un de connaissance. A peine la barge était-elle amarrée, il sautait à terre et presque aussitôt il était abordé par une ou deux personnes. Jamais, du reste, il ne s'oubliait en de longues conversations. Après un échange de quelques mots, les interlocuteurs se séparaient, et M. Jaeger réintégrait la barge, tandis que les étrangers s'éloignaient. A la fin Ilia Brusch n'y put tenir.

«Vous ayez donc des amis un peu partout, monsieur Jaeger ? demanda-t-il un jour.

—En effet, monsieur Brusch, répondit Karl Dragoch. Cela tient à ce que j'ai souvent parcouru ces contrées.

—En touriste, monsieur Jaeger ?

—Non, monsieur Brusch, pas en touriste. Je voyageais à cette époque pour une maison de commerce de Budapest, et, dans ce métier-là, non seulement on voit du pays, mais on se crée de nombreuses relations, vous le savez.»

Tels furent les seuls incidents—si l'on peut appeler cela des incidents—qui marquèrent le voyage du 18 au 24 août. Ce jour-là, après une nuit passée le long de la rive, loin de tout village, en dessous de la petite ville de Tulln, Ilia Brusch se remit en route avant l'aube, ainsi qu'il en avait coutume.

Cette journée ne devait pas être pareille aux précédentes. Le soir même, en effet, on serait à Vienne, et, pour la première fois, depuis huit jours, Ilia Brusch allait pêcher, afin de ne pas décevoir les admirateurs qu'il ne pouvait manquer d'avoir dans la capitale, où il avait eu soin de faire annoncer son arrivée par les cent voix de la Presse.

D'ailleurs, ne fallait-il pas penser aux intérêts de M. Jaeger, trop négligés pendant cette semaine de navigation acharnée ? Bien qu'il ne se plaignit pas, ainsi qu'il s'y était engagé, celui-ci ne devait pas être content, Ilia Brusch le comprenait de reste, et c'est pour être en mesure de lui donner au moins une apparence de satisfaction, qu'il s'était arrangé de manière à n'avoir qu'une trentaine de kilomètres à franchir durant cette dernière journée. Ainsi, malgré la diminution de sa vitesse, il lui serait quand même possible d'atteindre Vienne d'assez bonne heure pour tirer parti du produit de sa pêche.

Au moment où Karl Dragoch sortit de la cabine, le butin était déjà abondant, mais le pêcheur devait faire mieux encore. Vers onze heures, sa ligne ramena un brochet de vingt livres. C'était une pièce royale qui obtiendrait sûrement un haut prix des amateurs viennois.

Enhardi par ce succès, Ilia Brusch voulut tenter la chance une dernière fois, ce en quoi il eut grand tort, ainsi que l'événement le prouva.

Comment s'y prit-il ? Il eût été bien incapable de le dire. Le fait est que, lui, toujours si adroit, eut à ce moment un coup malheureux. Que ce soit le résultat d'un instant de distraction ou pour toute autre cause, sa ligne, fut mal lancée, et l'hameçon, violemment ramené, vint frapper son visage où il traça un sillon sanglant.

Ilia Brusch poussa un cri de douleur.

Après avoir labouré les chairs, l'hameçon, continuant sa route, agrippa au passage les lunettes aux grands verres noirs que le pêcheur portait jour et nuit, et cet instrument, enlevé comme une plume, se mit à décrire des courbes éperdues à quelques centimètres au-dessus de la surface de l'eau.

Étouffant une exclamation de dépit, Ilia Brusch, après un coup d'oeil plein d'inquiétude à l'adresse de M. Jaeger, eut tôt fait de ramener à lui les lunettes vagabondes, qu'il s'empressa de remettre à leur place primitive. Alors seulement il parut soulagé.

Cet incident n'avait duré que quelques secondes, mais ces quelques secondes avaient suffi à Karl Dragoch pour constater que son hôte possédait de magnifiques yeux bleus, dont le regard très vif semblait peu compatible avec une vue maladive.

Le détective ne put faire autrement que de réfléchir à cette singularité, son tempérament le portant à réfléchir sur tous les sujets qui sollicitaient son attention, et ses réflexions ne furent pas terminées après que les yeux bleus eurent disparu de nouveau derrière l'écran noir qui les dissimulait habituellement. Il est inutile de dire qu'Ilia Brusch ne pêcha pas davantage ce jour-là. Son estafilade, plus douloureuse que grave, sommairement pansée, il rangea avec soin ses engins, tandis que le bateau suivait tout seul le fil du courant, puis ce fut l'heure du déjeuner.

Peu d'instants auparavant, on était passé au pied du Kalhemberg, mont de trois cent cinquante mètres, dont le sommet domine la ville de Vienne. Maintenant, plus on avançait, plus l'animation des rives annonçait l'approche d'une importante cité.

Les villas, tout d'abord, s'étaient succédé, de plus en plus rapprochées. Puis, des usines avaient souillé le ciel des fumées de leurs hautes cheminées. Bientôt Ilia Brusch et son compagnon aperçurent quelques fiacres mettant dans cette banlieue une note franchement urbaine.

Dès les premières heures de l'après-midi, la barge dépassa Nussdorf, point où s'arrêtent les bateaux à vapeur, en raison de leur tirant d'eau. La modeste embarcation du pêcheur avait à cet égard de moindres exigences. D'ailleurs, elle ne contenait pas, comme les dampsschiffs, des voyageurs, qui eussent exigé d'être transportés par le canal jusqu'au coeur même de la ville.

Libre de ses mouvements, Ilia Brusch suivit le grand bras du Danube. Avant quatre heures, il s'arrêtait près de la rive et frappait son amarre à l'un des arbres du Prater, promenade fameuse, qui est à Vienne ce que le Bois de Boulogne est à Paris.

«Qu'avez-vous donc aux yeux, monsieur Brusch ? demanda à ce moment Karl Dragoch qui, depuis l'incident des lunettes, n'avait prononcé que de rares paroles.

Ilia Brusch interrompit son travail et se tourna vers son passager.

—Aux yeux ? répéta-t-il d'un ton interrogatif.

—Oui, aux yeux, dit M. Jaeger. Ce n'est pas pour votre plaisir, je suppose, que vous portez ces lunettes noires ?

—Ah ! fit Ilia Brusch, mes lunettes !.. J'ai la vue faible, et la lumière me fait mal, voilà tout.»

La vue faible ?.. Avec des yeux pareils !..

Son explication donnée, Ilia Brusch acheva d'amarrer sa barge.

Son passager le regardait faire d'un air songeur.

VII - CHASSEURS ET GIBIERS.

Quelques promeneurs animaient, en cette après-midi d'août, la rive du Danube, qui forme, au Nord-Est, l'extrême limite de la promenade du Prater. Ces promeneurs guettaient-ils Ilia Brusch ? Probablement, celui-ci ayant eu soin de faire préciser à l'avance par les journaux le lieu et presque l'heure de son arrivée. Mais comment les curieux, disséminés sur un aussi vaste espace, découvriraient-ils la barge que rien ne signalait à leur attention ?

Ilia Brusch avait prévu cette difficulté. Dès que son embarcation fut amarrée, il s'empressa de dresser un mât portant une longue banderolle sur laquelle on pouvait lire : Ilia Brusch, Lauréat du concours de Sigmaringen ; puis, sur le toit du rouf, il fit, des poissons capturés pendant la matinée, une sorte d'étalage, en donnant au brochet la place d'honneur.

Cette réclame à l'américaine eut un résultat immédiat. Quelques badauds s'arrêtèrent en face de la barge et la contemplèrent d'un air désoeuvré. Ces premiers badauds en attirant d'autres, le rassemblement prit en quelques instants des proportions telles que les véritables curieux ne purent faire autrement que de le remarquer. Ils accoururent, et, en voyant tous ces gens se hâter dans la même direction, d'autres se mirent à courir à leur exemple sans savoir pourquoi. En moins d'un quart d'heure, cinq cents personnes étaient groupées en face de la barge. Ilia Brusch n'avait jamais rêvé pareil succès :

Entre ce public et le pêcheur, le dialogue ne tarda pas à s'engager.

«Monsieur Brusch ? demanda un des assistants.

—Présent, répondit l'interpellé.

—Permettez-moi de me présenter.

M. Claudius Roth, un de vos collègues de la Ligue Danubienne.

—Enchanté, monsieur Roth !

—Plusieurs autres de nos collègues sont ici, d'ailleurs. Voici M. Hanisch, M. Tietze, M. Hugo Zwiedinek, sans compter ceux que je ne connais pas.

—Moi, par exemple, Mathias Kasselick, de Budapest, dit un spectateur.

—Et moi, ajouta un autre, Wilhelm Bickel, de Vienne.

—Ravi, Messieurs, d'être en pays de connaissance, s'écria Ilia Brusch.

Les demandes et les réponses se croisèrent. La conversation devint générale.

—Vous avez fait bon voyage, monsieur Brusch ?

—Excellent.

—Voyage rapide, en tous cas. On ne vous attendait pas si tôt.

—Il y a pourtant quinze jours que je suis en route.

—Oui, mais il y a loin de Donaueschingen à Vienne !

—Neuf cents kilomètres, à peu près, ce qui fait une soixantaine de kilomètres par jour en moyenne.

—Le courant les fait à peine en vingt-quatre heures.

—Ça dépend des endroits.

—C'est vrai. Et votre poisson ? Le vendez-vous facilement ?

—A merveille.

—Alors, vous êtes content ?

—Très content.

—Aujourd'hui, votre pêche est fort belle. Il y a surtout un brochet superbe.

—Il n'est pas mal, en effet.

—Combien le brochet ?

—Ce qu'il vous plaira de le payer.

Je vais, si vous le voulez bien, mettre mon poisson aux enchères, en gardant le brochet pour la fin.

—Pour la bonne bouche, traduisit un plaisant.

—Excellente idée ! s'écria M. Roth. L'acquéreur du brochet, au lieu d'en manger la chair, pourra, s'il le préfère, le faire empailler, en souvenir d'Ilia Brusch !»

Ce petit discours obtint un grand succès et les enchères commencèrent avec animation. Un quart d'heure plus tard, le pêcheur avait encaissé une somme rondelette, à laquelle le fameux brochet n'avait pas contribué pour moins de trente-cinq florins.

La vente terminée, la conversation continua entre le lauréat et le groupe d'admirateurs qui se pressait sur la berge. Renseigné sur le passé, on s'enquérait de ses intentions pour l'avenir. Ilia Brusch répondait, d'ailleurs, avec complaisance, et annonçait, sans en faire mystère, qu'après avoir consacré à Vienne la journée du lendemain, il irait, le soir du jour suivant, coucher à Presbourg.

Peu à peu, l'heure s'avançant, les curieux diminuèrent de nombre, chacun regagnant son dîner. Obligé de penser au sien, Ilia Brusch disparut dans le tôt, laissant son passager en pâture à l'admiration publique.

C'est pourquoi deux promeneurs, attirés par le rassemblement qui comptait encore une centaine de personnes, n'aperçurent que Karl Dragoch, solitairement assis au-dessous de la banderolle qui annonçait urbi et orbi le nom et la qualité du lauréat de la Ligue Danubienne. L'un de ces nouveaux venus était un grand gaillard de trente ans environ, large d'épaules, chevelure et barbe blondes, de ce blond slave qui semble l'apanage de la race ; l'autre, d'aspect robuste aussi, et remarquable par l'insolite carrure de ses épaules, était plus âgé, et ses cheveux grisonnants montraient qu'il avait dépassé la quarantaine.

Au premier regard que le plus jeune de ces personnages jeta vers la barge, il tressaillit et fit un rapide mouvement de recul, en entraînant son compagnon en arrière.

« C'est lui, dit-il, d'une voix étouffée, dès qu'ils furent sortis de la foule.

—Tu crois ?

—Sûr ! Tu ne l'as donc pas reconnu ?

—Comment l'aurais-je reconnu ? Je ne l'ai jamais vu.

Un instant de silence suivit. Les deux interlocuteurs réfléchissaient.

—Il est seul dans la barque ? demanda le plus âgé.

—Tout seul.

—Et c'est bien la barque d'Ilia Brusch ?

—Pas d'erreur possible. Le nom est inscrit sur la banderolle.

—C'est à n'y rien comprendre.

Après un nouveau silence, ce fut le plus jeune qui reprit :

—Ce serait donc lui qui fait ce voyage à grand orchestre sous le nom d'Ilia Brusch ?

—Dans quel but ?

Le personnage à la barbe blonde haussa les épaules.

—Dans le but de parcourir le Danube incognito, c'est clair.

—Diable ! fit son compagnon grisonnant.

—Ça ne m'étonnerait pas, dit l'autre. C'est un malin, Dragoch, et son coup aurait parfaitement réussi, sans le hasard qui nous a fait passer par ici.

Le plus âgé des deux interlocuteurs paraissait mal convaincu.

—C'est du roman, murmura-t-il entre ses dents.

—Tout à fait, Titcha, tout à fait, approuva son compagnon, mais Dragoch aime assez les moyens romanesques.

Nous tirerons, d'ailleurs, la chose au clair. On disait autour de nous que la barge resterait à Vienne demain toute la journée. Nous n'aurons qu'à revenir. Si Dragoch est toujours là, c'est que c'est bien lui qui est entré dans la peau d'Ilia Brusch.

—Dans ce cas, demanda Titcha, que ferons-nous ?

Son interlocuteur ne répondit pas tout de suite.

—Nous aviserons, » dit-il.

Tous deux s'éloignèrent du côté de la ville, laissant la barge entourée d'un public de plus en plus clairsemé. La nuit s'écoula paisiblement pour Ilia Brusch et son passager. Quand celui-ci sortit de la cabine, il trouva le premier en train de faire subir à ses engins de pêche une révision générale.

« Beau temps, monsieur Brusch, dit Karl Dragoch en manière de bonjour.

—Beau temps, monsieur Jaeger, approuva Ilia Brusch.

—Ne comptez-vous pas en profiter, monsieur Brusch, pour visiter la ville ?

—Ma foi non, monsieur Jaeger. Je ne suis pas curieux de mon naturel, et j'ai ici de quoi m'occuper toute la journée. Après deux semaines de navigation, ce n'est pas du luxe de remettre un peu d'ordre.

—A votre aise, monsieur Brusch. Pour moi, je n'imiterai pas votre indifférence et je compte rester à terre jusqu'au soir.

—Et bien vous ferez, monsieur Jaeger, approuva Ilia Brusch, puisque c'est à Vienne que vous demeurez. Peut-être avez-vous de la famille qui ne sera pas fâchée de vous voir.

—C'est une erreur, monsieur Brusch, je suis garçon.

—Tant pis, monsieur Jaeger, tant pis.

On n'est pas trop de deux pour porter le fardeau de la vie.

Karl Dragoch se mit à rire.

—Fichtre ! monsieur Brusch, vous n'êtes pas gai, ce matin.

—On a ses jours, monsieur Jaeger, répondit le pêcheur. Mais que cela ne vous empêche pas de vous amuser le mieux possible.

—Je tâcherai, monsieur Brusch, » répondit Karl Dragoch en s'éloignant.

A travers le Prater, il alla rejoindre la Haupt-Allée, rendez-vous des élégances viennoises pendant la saison. Mais, à cette époque de l'année, et à cette heure, la Haupt-Allée était presque déserte et il put hâter le pas sans être gêné par la foule.

Il y avait, toutefois, assez de monde pour que son attention ne fût pas attirée par deux promeneurs qu'il croisa, en même temps que plusieurs autres, comme il arrivait à la hauteur du Constantins Hugel, colline artificielle dont on a jugé bon de varier la perspective du Prater. Sans s'occuper de ces deux promeneurs, Karl Dragoch continua tranquillement sa route, et, dix minutes plus tard, il entrait dans un petit café du rond-point du Prater, le Prater Stern en allemand. Il y était attendu. Un consommateur déjà attablé se leva, en l'apercevant, et vint à sa rencontre.

«Bonjour, Ulhmann, dit Karl Dragoch.

—Bonjour, Monsieur, répondit Friedrich Ulhmann.

—Toujours rien de neuf ?

—Toujours rien.

—C'est bon. Cette fois, nous pouvons disposer de la journée et convenir mûrement de ce que nous devons faire.»

Si Karl Dragoch n'avait pas remarqué les deux promeneurs de la Haupt-Allée, ceux-ci—les mêmes individus que le hasard avait conduits, la veille, près de la barge d'Ilia Brusch—l'avaient parfaitement vu, au contraire.

D'un même mouvement ils avaient fait volte-face, après le passage du chef de la police danubienne, et l'avaient suivi, en gardant une distance suffisante pour éviter toute surprise. Quand Dragoch eut disparu dans le petit café, ils entrèrent dans un établissement semblable situé vis-à-vis du premier, de l'autre côté du rond-point, résolus à rester, s'il le fallait, toute la journée en embuscade.

Leur patience fut mise à l'épreuve. Après avoir consacré plusieurs heures à convenir dans le détail de leurs faits et gestes, Dragoch et Ulhmann déjeunèrent sans se presser. Leur déjeuner terminé, désireux d'échapper à l'atmosphère étouffante de la salle, ils se firent servir à l'air libre la tasse de café devenue le complément indispensable de tout repas. Ils étaient en train de la savourer, quand Dragoch fit soudain un geste d'étonnement et, comme désireux de n'être pas reconnu, rentra rapidement dans l'intérieur du restaurant, d'où, à travers les rideaux du vitrage, il surveilla un homme qui traversait la place en ce moment.

«C'est lui, Dieu me pardonne !» murmura Dragoch, en suivant des yeux Ilia Brusch.

C'était Ilia Brusch, en effet, bien reconnaissable à sa figure rasée, à ses lunettes et à ses cheveux noirs comme ceux d'un Italien du Sud.

Quand celui-ci se fut engagé dans la Kaiser-Josephstrasse, Dragoch vint rejoindre Ulhmann demeuré sur la terrasse, lui intima l'ordre de l'attendre autant qu'il serait nécessaire, et s'élança sur les traces du pêcheur.

Ilia Brusch marchait, sans songer à se retourner, avec le calme d'une conscience paisible. D'un pas tranquille, il marcha jusqu'au bout de la Kaiser-Josephstrasse, puis, en droite ligne, à travers le parc de l'Augarten, il arriva à la Brigittenau.

Quelques instants, il parut alors hésiter, et pénétra finalement dans une échoppe de sordide apparence ouvrant sa pauvre devanture dans l'une des plus misérables rues de ce quartier ouvrier.

Une demi-heure plus tard il ressortait. Toujours filé, sans le savoir, par Karl Dragoch, qui ne manqua pas en passant de lire l'enseigne de la boutique où son compagnon de voyage venait de s'arrêter, il prit la Rembrandtgasse, puis, remontant la rive gauche du canal, atteignit la Praterstrasse, qu'il suivit jusqu'au rond-point. Là, il tourna délibérément à droite et s'éloigna par la Haupt-Allée, sous les arbres du Prater. Il rentrait évidemment à bord de la barge, et Karl Dragoch jugea inutile de continuer plus longtemps sa filature.

Celui-ci revint donc au petit café, devant lequel Friedrich Ulhmann l'avait fidèlement attendu.

«Connais-tu un juif du nom de Simon Klein ? demanda-t-il en l'abordant.

—Certainement, répondit Ulhmann.

—Qu'est-ce que c'est que ce juif ?

—Pas grand'chose de bon. Brocanteur, usurier, au besoin receleur, je crois que ces trois mots le peignent du haut en bas.

—C'est bien ce que je pensais, murmura Dragoch, qui paraissait plongé en de profondes réflexions.

Après un instant, il reprit :

—Combien d'hommes avons-nous ici ?

—Une quarantaine, répondit Ulhmann.

—C'est suffisant. Écoute-moi bien. Il faut faire table rase de ce que nous avons dit ce matin. Je change mon plan, car, plus je vais, plus j'ai le pressentiment que l'affaire arrivera près de l'endroit, quel qu'il soit, où je serai moi-même.

—Où vous serez ?...

Je ne comprends pas.

—C'est inutile. Tu échelonneras tes hommes, deux par deux, sur la rive gauche du Danube de cinq en cinq kilomètres, en commençant à vingt kilomètres au delà de Presbourg. Leur mission unique sera de me surveiller. Aussitôt que le dernier échelon m'aura aperçu, les deux hommes qui le composent se hâteront d'aller cinq kilomètres en avant du premier, et ainsi de suite. C'est compris ?... Qu'ils ne me manquent pas surtout !

—Et moi ? interrogea Ulhmann.

—Toi, tu t'arrangeras pour ne pas me perdre de vue. Comme je suis dans une barque, au beau milieu du fleuve, ce n'est pas très difficile... Pour tes hommes, qu'ils prennent, bien entendu, en montant leur faction, tous les renseignements possibles. En cas de besoin, le poste informé d'un événement grave avisera les autres, dont il sera le point de concentration.

—Compris.

—Qu'on se mette en route dès ce soir, et que demain je trouve tes hommes à leur poste.

—Ils y seront,» dit Ulhmann.

Par deux et trois fois Karl Dragoch exposa son plan, sans se lasser, jusqu'au moment où, certain d'avoir été parfaitement saisi par son subordonné, il se décida, l'heure avançant, à regagner la barge.

Dans le petit café, de l'autre côté de la place, les deux promeneurs du Prater n'avaient pas interrompu leur espionnage. Ils avaient vu Dragoch sortir, sans en soupçonner la raison, Ilia Brusch n'ayant pas plus attiré leur attention que ne l'aurait fait tout autre passant. Leur premier mouvement avait été de se lancer à sa poursuite, mais la présence de Friedrich Ulhmann les en avait empêchés.

Rassurés, d'ailleurs, par l'attente de celui-ci, ils avaient eux-mêmes attendu, convaincus qu'ils ne tarderaient pas à voir revenir Karl Dragoch.

Le retour du détective prouva qu'ils avaient justement raisonné, et, quand le détective disparut avec Ulhmann dans l'intérieur du café, ils restèrent aux aguets, jusqu'au moment où se séparèrent le chef de police et son subordonné.

Laissant ce dernier remonter vers le centre, les deux acolytes s'attachèrent de nouveau à Karl Dragoch, et redescendirent à sa suite la Haupt-Allée, qu'ils avaient suivie le matin même en sens contraire. Après trois quarts d'heure de marche, ils s'arrêtèrent. La ligne d'arbres bordant la berge du Danube apparaissait alors. Il ne pouvait être douteux que Dragoch regagnât son embarcation.

«Inutile d'aller plus loin, dit le plus jeune. Nous sommes fixés, maintenant. Ilia Brusch et Karl Dragoch sont bien le même homme. La démonstration est faite, et, en le suivant plus longtemps, nous risquerions d'être remarqués à notre tour.

—Qu'allons-nous faire ? demanda son compagnon à carrure de lutteur.

—Nous en causerons, répondit l'autre. J'ai une idée.»

Pendant que les deux inconnus s'occupaient si fort de sa personne, et élaboraient, en s'éloignant vers le Prater Stern, des plans dont l'exécution ne devait pas être beaucoup différée, Karl Dragoch réintégrait la barge, sans se douter de l'espionnage dont il avait été l'objet au cours de cette journée. Il y trouva Ilia Brusch, fort affairé à préparer le dîner, que les deux compagnons, une heure plus tard, partagèrent comme de coutume, à cheval sur l'un des bancs.

«Eh bien, monsieur Jaeger, êtes-vous content de votre promenade ? demanda Ilia Brusch, quand les pipes commencèrent à répandre leurs nuages de fumée.

—Enchanté, répondit Karl Dragoch. Et vous, monsieur Brusch, n'avez-vous pas changé d'avis, et ne vous êtes-vous pas décidé à parcourir un peu la ville de Vienne ?.. A y faire quelque visite, peut-être ?

—Que non pas, monsieur Jaeger, affirma Ilia Brusch. Je ne connais personne ici, moi. Depuis que vous êtes parti, je n'ai pas mis le pied à terre.

—Vraiment !

—C'est ainsi. Je n'ai pas quitté le bord, où j'avais d'ailleurs assez de travail pour m'occuper jusqu'au soir.»

Karl Dragoch ne répliqua pas. Les pensées que le flagrant mensonge de son hôte pouvait lui suggérer, il les garda pour lui, et l'on parla de choses et d'autres jusqu'au moment où sonna l'heure du sommeil.

VIII - UN PORTRAIT DE FEMME.

Ilia Brusch s'était-il rendu coupable d'un mensonge prémédité, ou bien changea-t-il d'avis par simple caprice ? Quoi qu'il en soit, les renseignements fournis par lui sur son itinéraire se trouvèrent être de la plus notoire inexactitude..

Parti deux heures avant l'aube, le matin du 26 août, il ne s'arrêta pas à Presbourg, comme il l'avait annoncé. Vingt heures de godille acharnée le menèrent d'une seule traite à plus de quinze kilomètres au delà de cette ville, et il recommença cet effort surhumain après quelques brefs instants de repos.

Pourquoi il s'efforçait avec une hâte si fébrile d'écourter son voyage, Ilia Brusch ne se crut pas obligé d'en faire confidence à M. Jaeger, dont les intérêts étaient ainsi gravement compromis cependant, et, de son côté, celui-ci, respectueux de la foi jurée, ne manifesta par aucun signe le désappointement que tant de précipitation devait lui faire éprouver.

Les préoccupations de Karl Dragoch détournaient, d'ailleurs, l'attention de M. Jaeger. Le petit dommage que le second risquait de subir n'avait qu'une importance bien mince en regard des soucis du premier.

Dans cette matinée du 26 août, Karl Dragoch venait, en effet, de faire une remarque du caractère le plus insolite, qui, s'ajoutant à celles des jours précédents, achevait de le troubler profondément. C'est vers dix heures du matin que la chose était arrivée. A ce moment, Dragoch, plongé dans ses pensées, regardait machinalement Ilia Brusch godiller, debout à l'arrière de la barge, avec un entêtement de boeuf au labour. A cause d'une sinuosité du chenal qui l'obligeait à se diriger, pour quelques instants, vers le Nord-Ouest, le pêcheur avait alors le soleil en plein derrière lui.

Il était tête nue, car, ruisselant littéralement de sueur, il avait rejeté à ses pieds la casquette de loutre dont il se couvrait d'ordinaire, et la lumière éclairait vivement par transparence son abondante et noire chevelure.

Tout à coup, Karl Dragoch fut frappé par une particularité des plus singulières. Si Ilia Brusch était brun, et cela n'était pas contestable, il ne l'était du moins que partiellement. Noirs à leur extrémité, ses cheveux, à leur base, s'accusaient, sur une longueur de quelques millimètres, du plus indéniable blond.

Phénomène naturel que cette diversité de teintes ? Peut-être. Mais, plus vraisemblablement, simple résultat d'une vulgaire teinture dont on aurait négligé de renouveler l'application.

Quand bien même un doute aurait pu, d'ailleurs, subsister à ce sujet dans l'esprit de Karl Dragoch, celui-ci n'eût pas tardé à être exactement renseigné, puisque, dès le lendemain matin, les cheveux d'Ilia Brusch avaient perdu leur double coloration. Le pêcheur, évidemment, s'était aperçu de sa négligence et y avait remédié pendant la nuit.

Ces yeux que leur propriétaire dissimulait avec tant de soin derrière d'impénétrables verres, ce mensonge certain au moment de l'escale à Vienne, cette hâte incompréhensible si peu compatible avec le but avoué du voyage, ces cheveux blonds transformés en cheveux noirs, tout cela formait un faisceau de présomptions dont on devait nécessairement conclure... Au fait, que devait-on en conclure ? Karl Dragoch, après tout, n'en savait rien. Que la conduite d'Ilia Brusch fût louche, ce n'était que trop certain, mais quelle conclusion convenait-il d'en tirer ?

Pourtant, une hypothèse, cent fois repoussée d'abord, finit par s'imposer à Karl Dragoch qui ne cessait de réfléchir au problème posé à sa sagacité.

Et cette hypothèse, c'était celle-là même que, par deux fois, lui avait suggérée le hasard. Le joyeux Serbe, Michael Michaelovitch, d'abord, les voyageurs de l'hôtel de Ratisbonne, ensuite, n'avaient-ils pas, moitié sérieusement, moitié sous forme de plaisanterie, émis l'idée que, sous le vêtement d'emprunt du lauréat, se cachait le chef des malfaiteurs qui terrorisaient la région ? Fallait-il donc en arriver à examiner sérieusement une supposition à laquelle ceux-mêmes qui l'avaient formulée n'accordaient sûrement pas la moindre créance ?

Pourquoi pas, après tout ? Certes, les faits observés jusqu'ici n'autorisaient pas une certitude. Ils autorisaient du moins tous les soupçons. Et, en vérité, si des observations subséquentes établissaient le bien-fondé de ces soupçons, ce serait une plaisante aventure que le même bateau eût transporté pendant un si grand nombre de kilomètres ce chef de bandits et le policier chargé de l'arrêter.

Par ce côté, le drame avait tendance à tourner au vaudeville, et Karl Dragoch répugnait fort à admettre la possibilité d'une si merveilleuse coïncidence. Mais les procédés techniques du vaudeville ne consistent-ils pas uniquement dans la concentration en un même lieu et en un court espace de temps de quiproquos et de surprises, qu'on ne remarque pas, ou qui semblent moins hilarants dans la vie réelle, à cause de leur éparpillement et, pour ainsi parler, de leur état de dilution ? Il ne serait donc pas d'une saine logique de rejeter de plano un fait, sous prétexte qu'il parait anormal ou invraisemblable. Il convient d'être plus modeste, et d'admettre l'infinie richesse des combinaisons du hasard.

C'est sous l'empire de ces préoccupations que Karl Dragoch, le matin du 28, après une nuit passée en pleine campagne à quelques kilomètres en aval de Komorn, mit la conversation sur un sujet qui n'avait jamais été effleuré jusqu'alors.

«Bonjour, monsieur Brusch, dit-il, en sortant, ce matin-là, de la cabine, où il venait de dresser à loisir son plan d'attaque.

—Bonjour, monsieur Jaeger répondit le pêcheur qui godillait avec son énergie coutumière.

—Vous avez bien dormi, monsieur Brusch ?

—Parfaitement. Et vous, monsieur Jaeger ?

—Euh !.. euh !.. Comme ci, comme ça.

—Vraiment ! fit Ilia Brusch. Pourquoi, si vous avez été souffrant, ne pas m'avoir appelé ?

—Ma santé est parfaite, monsieur Brusch, répondit M. Jaeger. Cela n'empêche pas que la nuit m'ait paru un peu longue. Je ne suis pas fâché, je l'avoue, d'en avoir vu la fin.

—Parce que ?..

—Parce que j'étais un peu inquiet, je peux le reconnaître maintenant.

—Inquiet !.. répéta Ilia Brusch d'un ton de sincère étonnement.

—Ce n'est même pas la première fois que je suis inquiet, expliqua M. Jaeger. Je n'ai jamais été très à mon aise, quand la fantaisie vous a pris de passer la nuit loin de toute ville et de tout village.

—Bah !.. fit Ilia Brusch qui semblait tomber des nues. Il fallait me le dire, et je me serais arrangé autrement.

—Vous oubliez que je me suis engagé à vous laisser toute liberté d'agir à votre guise. Chose promise, chose due, monsieur Brusch ! Cela n'empêche pas que je n'aie pas toujours été très rassuré. Que voulez-vous ? Je suis un citadin, moi, et je trouve impressionnants ce silence et cette solitude de la campagne.

—Affaire d'habitude, monsieur Jaeger, répliqua gaiement Ilia Brusch.

Vous vous y feriez, si notre voyage devait être plus long. En réalité, il y a moins de dangers en rase campagne qu'au coeur d'une grande ville où pullulent les assassins et les rôdeurs.

—Vous avez probablement raison, monsieur Brusch, approuva M. Jauger, mais les impressions ne se commandent pas. Au surplus, mes craintes ne sont pas tout à fait déraisonnables dans le cas présent, puisque nous traversons une région particulièrement mal famée.

—Mal famée !.. se récria Ilia Brusch. Où prenez-vous ça, monsieur Jaeger ?.. J'habite par ici, moi qui vous parle, et je n'ai jamais entendu dire que le pays fût mal famé !

Ce fut au tour de M. Jaeger de manifester une vive surprise.

—Parlez-vous sérieusement, monsieur Brusch ? s'écria-t-il. Vous seriez le seul, alors, à ignorer ce que tout le monde sait de la Bavière à la Roumanie.

—Quoi donc ? demanda Ilia Brusch.

—Parbleu ! qu'une bande d'insaisissables malfaiteurs met en coupe réglée les deux rives du Danube, de Presbourg à son embouchure.

—C'est la première fois que j'entends parler de ça, déclara Ilia Brusch avec l'accent de la sincérité.

—Pas possible !.. s'étonna M. Jaeger. Mais on ne s'occupe pas d'autre chose d'un bout à l'autre du fleuve.

—On apprend du nouveau tous les jours, fit observer placidement Ilia Brusch. Et il y a longtemps que ces vols auraient commencé ?

—Dix-huit mois environ, répondit M. Jaeger. Si encore il ne s'agissait que de vols !..

Mais les malfaiteurs en question ne se contentent pas de voler.

Ils assassinent au besoin. Pendant ces dix-huit mois, on leur attribue au moins dix meurtres dont les auteurs sont demeurés inconnus. Le dernier de ces meurtres, précisément, a été accompli à moins de cinquante kilomètres d'ici.

—Je comprends maintenant vos inquiétudes, dit Ilia Brusch. Peut-être même les aurais-je partagées, si j'avais été mieux renseigné. A l'avenir, nous nous arrêterons, le soir, autant que possible à proximité d'un village ou d'une ville, à commencer par notre halte d'aujourd'hui, que nous ferons à Gran.

—Oh ! approuva M. Jaeger, là nous serons tranquilles. Gran est une ville importante.

—Je suis d'autant plus satisfait, continua Ilia Brusch, que vous vous y trouviez en sûreté, que je compte vous laisser seul la nuit prochaine.

—Vous avez l'intention de vous absenter ?

—Oui, monsieur Jaeger, mais quelques heures seulement. De Gran, où j'espère bien arriver de bonne heure, je voudrais pousser une pointe jusqu'à Szalka, qui n'en est pas fort éloigné. C'est là que j'habite, comme vous le savez. Je serai, d'ailleurs, de retour avant l'aube, et notre départ, demain matin, n'en sera nullement retardé.

—A votre aise, monsieur Brusch, conclut M. Jaeger. Je conçois que vous ayez le désir de faire un tour chez vous, et à Gran, je le répète, il n'y a rien à redouter.

Pendant une demi-heure, la conversation fut interrompue. Après cet entr'acte, Karl Dragoch reprit sur nouveaux frais.

—C'est vraiment curieux, dit-il, que vous n'ayez jamais entendu parler de ces malfaiteurs du Danube.

C'est d'autant plus curieux, qu'on s'est particulièrement occupé de cette affaire quelques jours après le concours de pêche de Sigmaringen.

—A quel propos ? demanda Ilia Brusch.

—A propos de la constitution d'une brigade de police spéciale sous les ordres d'un chef que l'on dit fort habile, un nommé Karl Dragoch, détective de Budapest.

—Il aura fort à faire, observa Ilia Brusch, que ce nom ne parut pas autrement frapper. C'est long, le Danube, et il est peu commode de surveiller des gens sur lesquels on ne sait rien.

—C'est ce qui vous trompe, répliqua M. Jaeger. La police ne serait pas sans renseignements. De l'ensemble des témoignages recueillis résulterait, d'abord, un signalement presque certain du chef de la bande.

—Comment est-il fait, ce particulier-là ? demanda Ilia Brusch.

—Comme aspect général, c'est un homme dans votre genre...

—Merci bien ! interrompit en riant Ilia Brusch.

—Oui, poursuivit M. Jaeger, il serait à peu près de votre taille et de votre corpulence, mais pour le reste, par exemple, aucun rapport.

—Heureusement ! soupira Ilia Brusch avec un air de soulagement qui voulait être comique.

—Il aurait, dit-on, de très beaux yeux bleus, et ne serait pas obligé comme vous de porter lunettes. En outre, tandis que vous êtes très brun et soigneusement rasé, il porterait toute sa barbe, que l'on dit blonde. Sur ce dernier point, notamment, les témoignages recueillis sont formels, à ce qu'on prétend.

—C'est une indication, évidemment, reconnut Ilia Brusch, mais encore bien vague.

Il y a beaucoup de blonds, et s'il faut les passer tous au crible !..

—On sait encore autre chose. D'après les on dit, ce chef serait de nationalité bulgare... comme vous-même, monsieur Brusch !

—Que voulez-vous dire ? demanda Ilia Brusch d'une, voix troublée.

—D'après votre accent, s'excusa Karl Dragoch d'un air innocent, je vous ai cru d'origine bulgare... Mais je me suis trompé, peut-être ?.

—Vous ne vous êtes pas trompé, reconnut Ilia Brusch après une courte hésitation.

—Ce chef serait donc votre compatriote. Dans le public, son nom court même de bouche en bouche.

—Oh alors !.. Si l'on sait son nom !..

—Bien entendu, cela n'a rien d'officiel.

—Officiel ou officieux, quel serait le nom du paroissien.

—A tort ou à raison, les riverains du fleuve mettent les méfaits dont ils ont à souffrir au compte d'un certain Ladko.

—Ladko !.. répéta Ilia Brusch qui, en proie à une évidente émotion, arrêta brusquement le va-et-vient de sa godille.

—Ladko, affirma Karl Dragoch, en surveillant du coin de l'oeil son interlocuteur.

Mais déjà celui-ci s'était ressaisi.

—C'est drôle, dit-il simplement, tandis que l'aviron reprenait entre ses mains son éternel travail.

—Qu'est-ce qui est drôle ? insista Karl Dragoch. Connaîtriez-vous ce Ladko ?

—-Moi ? protesta le pêcheur. Pas le moins du monde.

Mais ce n'est pas un nom bulgare que Ladko. Voilà tout ce que je vois de drôle là-dedans.»

Karl Dragoch ne poussa pas plus avant un interrogatoire, qui, plus clair, risquait de devenir dangereux, et dont les résultats pouvaient d'ores et déjà être considérés comme satisfaisants. La surprise du pêcheur en entendant le signalement du malfaiteur, son trouble en connaissant la nationalité probable de celui-ci, son émotion en en apprenant le nom, tout cela était indéniable et donnait une force nouvelle aux présomptions antérieures, sans apporter toutefois aucune preuve décisive.

Comme l'avait prévu Ilia Brusch, il n'était pas encore deux heures de l'après-midi lorsque la barge arriva à Gran. Cinq cents mètres avant les premières maisons, le pêcheur prit terre sur la rive gauche, afin d'éviter, dit-il, d'être retardé par la curiosité populaire, et pria M. Jaeger de bien vouloir conduire seul la barge sur la rive droite, où il s'arrêterait au coeur de la ville, ce à quoi le passager consentit avec obligeance.

Son travail terminé, celui-ci se transforma en détective. La barge amarrée, il sauta sur le quai, en quête de l'un de ses hommes.

Il n'avait pas fait vingt pas qu'il se heurtait à Friedrick Ulhmann. Un dialogue rapide s'engagea entre les deux policiers.

«Tout va bien ?

—Tout.

—Il faut resserrer le cercle, Ulhmann. Tes postes de deux hommes à un kilomètre l'un de l'autre désormais.

—Ça chauffe, alors ?

—Oui.

—Tant mieux.

—Demain, tâche de ne pas me perdre des yeux.

J'ai idée que nous brûlons.

—-Compris.

—Et qu'on ne s'endorme pas ! Du nerf ! Qu'on se grouille !

—Comptez sur moi.

—Si tu apprends quelque chose, un signe de la berge, n'est-ce pas ?

—Entendu.»

Les deux interlocuteurs se séparèrent, et Karl Dragoch réintégra l'embarcation.

Si son repos ne fut pas troublé par l'inquiétude qu'il prétendait éprouver d'ordinaire, il le fut, au cours de cette nuit, par le vacarme des éléments déchaînés. A minuit, une tempête de l'Est se leva, en effet, et augmenta d'heure en heure, tandis que la pluie faisait rage.

Au moment où, vers cinq heures du matin, Ilia Brusch regagna la barge, la pluie tombait toujours à torrents et le vent soufflait avec fureur dans une direction nettement opposée à celle du courant. Le pêcheur n'hésita pas, cependant, à partir. Son amarre larguée, il poussa aussitôt au milieu du fleuve et reprit son éternelle godille. Il lui fallait un véritable courage pour se mettre au travail dans de telles conditions, après une nuit qui n'avait pu manquer d'être fatigante.

La tempête ne montra, pendant les premières heures de la matinée, aucune tendance à décroître, au contraire. La barge, malgré l'aide du courant, ne gagnait que péniblement contre ce terrible vent debout, et c'est à peine si, après quatre heures d'efforts, elle était parvenue à une dizaine de kilomètres de la ville de Gran. Le confluent de l'Ipoly, sur la rive droite duquel est situé Szalka, où Ilia Brusch disait s'être rendu la nuit précédente, ne pouvait plus alors être bien éloigné.

A ce moment, la tempête redoubla de fureur, au point de rendre la situation réellement critique.

Si le Danube n'est pas comparable à la mer, il est toutefois assez vaste pour que de véritables lames réussissent à s'y former lorsque le vent acquiert une grande violence. Il en était ainsi, ce jour-là, et, malgré la hâte dont Ilia Brusch faisait preuve, force lui fut de se réfugier près de la rive gauche.

Il ne devait pas l'atteindre..

Plus de cinquante mètres l'en séparaient encore, quand surgit un effrayant phénomène. A quelque distance en amont, les arbres qui garnissaient la berge furent tout à coup précipités dans le fleuve, cassés net au ras du sol, comme s'ils eussent été rasés par une faux gigantesque. En même temps, l'eau, soulevée par une incommensurable puissance, monta à l'assaut de la rive, puis se dressa en une lame énorme qui roula en déferlant à la poursuite de la barge.

Evidemment, une trombe venait de se former dans les couches atmosphériques et promenait à la surface du fleuve son irrésistible ventouse.

Ilia Brusch comprit le danger. Faisant pivoter la barge d'un énergique coup d'aviron, il s'efforça de se rapprocher de la rive droite. Si cette manoeuvre n'eut pas tout le résultat qu'il en attendait, c'est pourtant à elle que le pêcheur et son passager durent finalement leur salut.

Rattrapée par le météore continuant sa course furieuse, la barge évita du moins la montagne d'eau qu'il soulevait sur son passage. C'est pourquoi elle ne fut pas submergée, ce qui eût été fatal sans la manoeuvre d'Ilia Brusch. Saisie par les spires les plus extérieures du tourbillon, elle fut simplement lancée avec violence selon une courbe de grand rayon.

A peine effleurée par la pieuvre aérienne, dont la tentacule avait, cette fois, manqué le but, l'embarcation fut presque aussitôt lâchée qu'aspirée.

En quelques secondes, la trombe était passée et la vague s'enfuyait en rugissant vers l'aval, tandis que la résistance de l'eau neutralisait peu à peu la vitesse acquise de la barge.

Malheureusement, avant que ce résultat fût complètement atteint, un nouveau danger se révéla à l'improviste. Droit devant l'étrave, qui fendait l'eau avec la vitesse d'un express, le pêcheur aperçut tout à coup un des arbres arrachés, qui, les racines en l'air, suivait lentement le courant. L'embarcation, lancée dans l'enchevêtrement de ces racines, ne pouvait manquer de chavirer, d'être gravement endommagée tout au moins. Ilia Brusch poussa un cri d'effroi, en découvrant cet obstacle imprévu.

Mais Karl Dragoch avait aussi vu le danger, il en avait compris l'imminence. Sans hésiter, il s'élança à l'avant de la barge, ses mains saisirent les racines qui s'échevelaient hors de l'eau, et, s'arc-boutant pour mieux lutter contre l'impulsion du bateau, il s'efforça de l'écarter de la direction dangereuse.

Il y parvint. La barge, déviée de sa route, passa comme une flèche, en raclant les racines, puis la tête de l'arbre encore couverte de ses feuilles. Un instant de plus, et elle allait laisser derrière elle l'épave verdoyante mollement entraînée par le courant, lorsque Karl Dragoch fut atteint en pleine poitrine par une des dernières ramures. En vain, il voulut résister au choc. Perdant l'équilibre, il culbuta par-dessus bord et disparut sous les eaux.

A sa chute en succéda immédiatement une autre, volontaire celle-ci. Ilia Brusch, en voyant tomber son passager, s'était sans hésiter élancé à son secours.

Mais ce n'était pas chose facile d'apercevoir quoi que ce fût dans ces eaux limoneuses tout agitées par le passage d'un furieux météore.

Pendant une minute, Ilia Brusch s'y épuisa en vain, et il commençait à désespérer de découvrir M. Jaeger, quand il saisit enfin le malheureux, flottant ; évanoui, entre deux eaux.

A tout prendre, cela valait mieux. Un homme qui se noie se débat d'ordinaire et augmente ainsi sans le savoir la difficulté du sauvetage. Un homme évanoui n'est plus qu'une masse inerte dont le salut dépend uniquement de l'habileté du sauveteur.

Ilia Brusch eut tôt fait d'élever hors de l'eau la tête de M. Jaeger, puis, d'un bras vigoureux, il nagea vers la barge, qui, pendant ce temps, s'était éloignée d'une trentaine de mètres. Il s'en rapprocha en quelques brasses, qui semblaient être un jeu pour le robuste nageur, et, d'une main, il en saisit le bord, tandis que son autre main soutenait le passager toujours privé de sentiment.

Restait maintenant à hisser M. Jaeger à bord de l'embarcation, et ce n'était pas besogne aisée. Ilia Brusch, au prix de mille efforts, réussit toutefois à la mener à bonne fin.

Dès qu'il eut déposé le noyé sur une des couchettes du tôt, il le dépouilla de ses vêtements, et, ayant retiré de l'un des coffres quelques morceaux de laine, se mit en devoir de le frictionner, énergiquement. M. Jaeger ne tarda pas à ouvrir les yeux et à revenir au sentiment du réel. L'immersion n'avait pas été longue, en somme, et il était à espérer qu'elle n'aurait pas de suites fâcheuses.

«Eh ! Eh ! monsieur Jaeger, s'écria Ilia Brusch, dès qu'il vit son malade reprendre connaissance, vous vous y entendez pour les plongeons !

M. Jaeger sourit faiblement sans répondre.

—Ça ne sera rien, poursuivait Ilia Brusch, en continuant ses énergiques frictions.

Rien de meilleur pour la santé qu'un bain au mois d'août !

—Merci, monsieur Brusch, balbutia Karl Dragoch.

—Il n'y a vraiment pas de quoi, répliqua gaiement le pêcheur. C'est à moi de vous remercier, monsieur Jaeger, puisque vous m'avez donné l'occasion d'un excellent bain.

Les forces de Karl Dragoch revenaient à vue d'oeil. Un bon coup d'eau-de-vie, et il n'y paraîtrait plus. Malheureusement, Ilia Brusch, plus ému qu'il ne voulait le paraître, bouleversa en vain tous ses coffres. La provision d'alcool était épuisée, et il n'en restait pas une goutte à bord de la barge.

—Voilà qui est vexant ! s'écria Ilia Brusch. Pas une goutte de schnaps dans notre cambuse !

—Peu importe, monsieur Brusch, affirma Karl Dragoch, d'une voix faible. Je m'en passerai fort bien, je vous assure.

Karl Dragoch grelottait, cependant, en dépit de ses assurances, et un cordial ne lui eût certes pas été inutile.

—C'est ce qui vous trompe, répondit Ilia Brusch, qui ne s'illusionnait pas sur l'état de son passager, vous ne vous en passerez pas, monsieur Jaeger. Laissez moi faire. Ce ne sera pas long.

En un tour de mains, le pêcheur eut échangé ses vêtements trempés contre des vêtements secs, puis quelques coups de godille amenèrent la barge à la rive gauche où elle fut amarrée solidement.

—Un peu de patience, monsieur Jaeger, dit Ilia Brusch en sautant à terre. Ici, je connais le pays, puisque voilà le confluent de l'Ipoly. A moins de quinze cents mètres, il y a un village, où je trouverai tout ce qu'il faut.

Dans une demi-heure, je serai de retour.»

Cela dit, Ilia Brusch s'éloigna, sans attendre la réponse.

Quand il fut seul, Karl Dragoch se laissa retomber sur sa couchette. Il était plus brisé qu'il ne lui plaisait de le dire, et, pendant un instant, il ferma les yeux avec lassitude.

Mais la vie reprenait rapidement son cours ; le sang battait dans ses artères. Bientôt il rouvrit les yeux et laissa errer autour de lui un regard plus ferme de minute eh minute.

La première chose qui sollicita ce regard encore vague, ce fut l'un des coffres, qu'Ilia Brusch, dans la précipitation de son départ, avait oublié de refermer. Bouleversé par la recherche infructueuse du pêcheur, l'intérieur de ce coffre n'offrait à la vue qu'un amas d'objets hétéroclites. Linge rude, grossiers vêtements, fortes chaussures y étaient entassés dans le plus grand désordre.

Pourquoi les yeux de Karl Dragoch se mirent-ils à briller tout à coup ? Ce spectacle, pourtant peu passionnant, l'intéressait-il donc à ce point qu'il se soulevât sur le coude, après quelques secondes d'attention, de manière a voir plus commodément dans le coffre béant ?

Certes, ce n'étaient ni les vêtements, ni le linge qui pouvaient exciter ainsi la curiosité de l'indiscret passager, mais, entre ces divers objets d'habillement, l'oeil fureteur du détective venait de découvrir un objet plus digne de retenir son attention.

Ce n'était pas autre chose qu'un portefeuille à demi entr'ouvert, et laissant fuir les nombreux papiers dont il était bourré. Un portefeuille ! Des papiers ! C'est-à-dire une réponse, sans doute, aux questions que Karl Dragoch se posait depuis quelques jours.

Le détective n'y put tenir.

Après une courte hésitation, au risque de trahir, ce faisant, les lois de l'hospitalité, sa main s'allongea et plongea dans le coffre, d'où elle ressortit avec le portefeuille tentateur et son contenu, dont l'inventaire fut aussitôt commencé.

Des lettres, d'abord, que Karl Dragoch ne s'attarda pas à lire, mais que leur suscription montrait adressées à M. Ilia Brusch à Szalka ; puis des reçus, parmi lesquels des quittances de loyer libellées au même nom. Rien d'intéressant dans tout cela.

Karl Dragoch allait peut-être y renoncer, quand un dernier document le fit tressaillir. Rien ne pouvait être plus innocent cependant, et il fallait être un policier pour éprouver, devant un tel «document», un autre sentiment qu'une sympathique émotion.

C'était un portrait, le portrait d'une jeune femme dont la parfaite beauté eût enthousiasmé un peintre. Mais un policier n'est pas un artiste, et ce n'est pas d'admiration pour ce ravissant visage que battait le coeur de Karl Dragoch. A peine même s'il en avait regardé les traits. A vrai dire, il n'avait rien vu de ce portrait, rien qu'une simple ligne d'écriture en langue bulgare tracée au bas de la photographie. « A mon cher mari, Natcha Ladko », tels étaient les mots que pouvait lire Karl Dragoch éperdu.

Ainsi, ses soupçons étaient justifiés, et logiques ses déductions basées sur les singularités observées. Ladko ! C'était bien avec Ladko, qu'il descendait le Danube depuis tant de jours. C'était bien ce dangereux malfaiteur, vainement pourchassé jusqu'alors, qui se cachait sous l'inoffensive personnalité du lauréat de la Ligue Danubienne.

Quelle allait être la conduite de Karl Dragoch après une pareille constatation ? Il n'avait pas encore pris de décision, quand un bruit de pas sur la berge lui fit rejeter vivement le portefeuille au fond du coffre dont il rabattit le couvercle.

Le nouvel arrivant ne pouvait être Ilia Brusch parti depuis dix minutes à peine.

« Monsieur Dragoch ! appela une voix au dehors.

—Friedrick Ulhmann ! murmura Karl Dragoch qui parvint péniblement à se mettre debout et sortit en chancelant de la cabine.

—Excusez-moi de vous avoir appelé, dit Friedrick Ulhmann dès qu'il aperçut son chef. J'ai vu votre compagnon s'éloigner tout à l'heure et je vous savais seul.

—Qu'y a-t-il ? demanda Karl Dragoch.

—Du nouveau, Monsieur. Un crime a été commis cette nuit.

—Cette nuit ! s'écria Karl Dragoch en pensant aussitôt à l'absence d'Ilia Brusch au cours de la nuit précédente.

—Une villa a été pillée à proximité d'ici. Le gardien a été frappé.

—Mort ?

—Non, mais grièvement blessé.

—C'est bon, dit Karl Dragoch en imposant de la main silence à son subordonné.

Il réfléchissait profondément. Que convenait-il de faire ? Agir certes, et pour cela la force ne lui manquerait pas. La nouvelle qu'il venait d'apprendre était le meilleur des remèdes. Il ne lui restait plus de traces de l'accident dont il venait d'être victime. Il n'avait plus besoin maintenant de chercher un appui sur la cloison de la cabine. Sous le coup de fouet des nerfs, le sang revenait à flots à son visage.

Oui, il fallait agir, mais comment ? Devait-il attendre le retour d'Ilia Brusch, ou plutôt de Ladko, puisque tel était le véritable nom de son compagnon de route, et lui mettre à l'improviste la main sur l'épaule au nom de la loi ? Cela paraissait le plus sage, puisque désormais il ne pouvait subsister aucun doute sur la culpabilité du soi-disant pêcheur.

Le soin avec lequel il dissimulait sa véritable personnalité, le mystère dont il s'entourait, ce nom qui était le sien et, en même temps, celui par lequel la rumeur publique désignait le chef des bandits, son absence de la nuit dernière concordant avec la découverte d'un nouveau crime, tout disait à Karl Dragoch qu'Ilia Brusch était bien le bandit recherché.

Mais ce bandit lui avait sauvé la vie !.. Voilà qui compliquait étrangement la situation !

Quelle apparence qu'un voleur, plus qu'un voleur, un assassin se fût jeté à l'eau pour l'en retirer ? Et, quand bien même cette chose invraisemblable serait vraie, était-il possible, à qui venait d'être arraché à la mort, de reconnaître ainsi le dévouement de son sauveur ? Quel risque, d'ailleurs, à surseoir à une arrestation ? Maintenant que le faux Ilia Brusch était démasqué, que sa personnalité était connue, il lui serait impossible d'échapper aux forces de police disséminées le long du fleuve, et, dans le cas où l'enquête aboutirait en effet au soi-disant pêcheur, on disposerait alors d'un plus nombreux personnel, et l'arrestation serait opérée plus sûrement pour avoir été différée.

Karl Dragoch, pendant cinq minutés, retourna sous toutes ses faces le cas de conscience qui s'imposait à lui. Partir sans avoir revu Ilia Brusch ?.. Ou bien rester, placer Friedrick Ulhmann en embuscade dans la cabine, et, quand le pêcheur apparaîtrait, sauter sur lui sans crier gare, quitte à s'expliquer après ?... Non, décidément. Répondre par cette trahison à un tel acte de dévouement, cela lui soulevait le coeur. Mieux valait, au risque de laisser à un coupable une chance de salut, commencer l'enquête en oubliant provisoirement ce qu'il croyait savoir.

Si cette enquête le ramenait finalement à Ilia Brusch, si son devoir l'obligeait alors à traiter son sauveur en ennemi, ce serait du moins face à face qu'il le combattrait, et après lui avoir donné le temps de se mettre en défense.

Acceptant du geste toutes les conséquences de sa décision, Karl Dragoch, son parti pris, rentra dans la cabine. Par un mot déposé en évidence il avertit Ilia Brusch de la nécessité où il était de s'absenter, en priant son hôte de l'attendre au moins pendant vingt-quatre heures. Puis il se disposa à partir.

—Combien d'hommes avons-nous ? demanda-t-il en sortant de la cabine.

—Il y en a deux sur place, mais on est en train de battre le rappel. Nous en aurons une dizaine avant ce soir.

—Bien, approuva Karl Dragoch. Ne m'as-tu pas dit que le théâtre du crime n'était pas éloigné ?

—Deux kilomètres à peu près, répondit Ulhmann.

—Conduis-moi, » dit Karl Dragoch en sautant sur la rive.

IX - LES DEUX ÉCHECS DE DRAGOCH.

Les Karpathes décrivent, dans la partie septentrionale de la Hongrie, un immense arc de cercle, dont l'extrémité occidentale se divise en deux branches secondaires. L'une va mourir au Danube à la hauteur de Presbourg ; l'autre atteint le fleuve dans les environs de Gran, où elle se continue, sur la rive droite, par les sept cent soixante-six mètres du mont Pilis.

C'est au pied de cette médiocre montagne qu'un crime venait d'être commis, et c'est là que Karl Dragoch allait pour la première fois se trouver aux prises avec les redoutables malfaiteurs qu'il avait mission de poursuivre.

Quelques heures avant le moment où, faussant compagnie à son hôte, il se faisait violence pour obéir, malgré sa faiblesse, à l'invitation de Friedrich Ulhmann, une charrette lourdement chargée s'était arrêtée devant une misérable auberge construite à la base de l'une des collines par lesquelles le mont Pilis se raccorde à la vallée du Danube.

La position de cette auberge avait été judicieusement choisie au point de vue commercial. Elle commandait le croisement de trois routes se dirigeant, l'une vers le Nord, une autre vers le Sud-Est, et la troisième vers le Nord-Ouest. Ces trois routes aboutissant au Danube, celle du Nord à la courbe qu'il décrit en face du mont Pilis, celle du Sud-Est au bourg de Saint-André, celle du Nord-Ouest à la ville de Gran, l'auberge était située, en quelque sorte, entre les branches d'un vaste compas liquide et ne pouvait manquer de profiter du roulage alimentant la batellerie.

Le Danube qui, au sortir de Gran, coule sensiblement de l'Ouest à l'Est, s'infléchit, en effet, vers le Sud, à quelque distance du confluent de l'Ipoly, puis remonte au Nord, après avoir dessiné une demi-circonférence de faible rayon.

Mais, presque aussitôt, il se replie sur lui-même, pour adopter une direction Nord-Sud, qu'il n'abandonnera plus, en aval, pendant un très grand nombre de kilomètres.

Au moment où le véhicule faisait halte, le soleil se levait à peine. Tout dormait encore dans la maison, dont les épais volets étaient hermétiquement fermés.

«Holà, oh ! de l'auberge !.. appela, en heurtant la porte du manche de son fouet, l'un des deux hommes qui conduisaient la charrette.

—On y va ! répondit de l'intérieur l'aubergiste réveillé en sursaut.

Un instant plus tard, une tête embroussaillée se montrait à une fenêtre du premier.

—Que voulez-vous ? interrogea sans aménité l'aubergiste.

—Manger, d'abord ; dormir, ensuite, dit le charretier.

—On y va, répéta l'hôte qui disparut dans l'intérieur.

Lorsque, par le portail grand ouvert, la charrette eut pénétré dans la cour, ses conducteurs s'empressèrent de dételer leurs deux chevaux et de les conduire à l'écurie, où une large provende leur fut distribuée. Pendant ce temps, l'hôte ne cessait de tourner autour de ces clients matinaux. Évidemment, il n'eût pas demandé mieux que d'engager la conversation, mais les rouliers, par contre, semblaient peu désireux de lui donner la réplique.

—Vous arrivez de bon matin, camarades, insinua l'aubergiste. Vous avez donc voyagé pendant la nuit ?

—Il parait, fit l'un des charretiers.

—Et vous allez loin comme ça ?

—Loin ou près, c'est notre affaire, lui fut-il répliqué.

L'aubergiste se le tint pour dit.

—Pourquoi molester ce brave homme, Vogel ? intervint l'autre charretier qui n'avait pas encore ouvert la bouche. Nous n'avons aucune raison de cacher que nous allons à Saint-André.

—Possible que nous n'ayons pas à le cacher, répliqua Vogel d'un ton bourru, mais ça ne regarde personne, j'imagine.

—Evidemment, approuva l'aubergiste, flagorneur comme tout bon commerçant.

Ce que j'en disais, c'était histoire de parler, simplement... Ces messieurs désirent manger ?

—Oui, répondit celui des deux rouliers qui semblait le moins brutal. Du pain, du lard, du jambon, des saucisses, ce que tu auras.»

La charrette avait dû parcourir une longue route, car ses conducteurs affamés firent largement honneur au repas. Ils étaient fatigués aussi, et c'est pourquoi ils ne s'oublièrent pas à table. La dernière bouchée prise, ils s'empressèrent d'aller chercher le sommeil, l'un sur la paille de l'écurie, près des chevaux, l'autre sous la bâche de la charrette.

Midi sonnait quand ils reparurent. Ce fut pour réclamer aussitôt un second repas qui leur fut servi comme le précédent dans la grande salle de l'auberge. Reposés maintenant, ils s'attardèrent. Au dessert succédèrent les verres d'eau-de-vie qui disparaissaient comme de l'eau dans ces rudes gosiers.

Au cours de l'après-midi, plusieurs voitures s'arrêtèrent à l'auberge et de nombreux piétons entrèrent boire un coup. Des paysans, pour la plupart, qui, la besace au dos, le bâton à la main, se rendaient à Gran ou en revenaient. Presque tous étaient des habitués et l'hôtelier ne pouvait que s'applaudir d'avoir la tête solide réclamée, par sa profession, car il trinquait avec tous ses clients les uns après les autres.

Cela faisait marcher le commerce. On cause, en effet, en trinquant, et parler assèche le gosier, ce qui excite à de nouvelles libations.

Ce jour-là précisément la conversation ne manquait pas d'aliment. Le crime commis pendant la nuit mettait les cervelles à l'envers. La nouvelle en avait été apportée par les premiers passants, et chacun racontait un détail inédit ou émettait son avis personnel.

L'aubergiste apprit ainsi successivement que la magnifique villa possédée par le comte Hagueneau à cinq cents mètres de la rive du Danube avait été complètement dévalisée et que le gardien Christian était grièvement blessé ; que ce crime était sans doute l'oeuvre de l'insaisissable bande de malfaiteurs auxquels on attribuait tant d'autres crimes impunis ; que la police enfin sillonnait la campagne et que les criminels étaient recherchés par la brigade récemment créée pour la surveillance du fleuve.

Les deux rouliers ne se mêlaient pas aux conversations que suscitait l'événement, conversations qui se développaient à grand accompagnement d'exclamations et de cris. Silencieusement, ils restaient à l'écart, mais sans doute ils ne perdaient rien des propos échangés autour d'eux, car ils ne pouvaient manquer de s'intéresser à ce qui passionnait tout le monde.

Cependant, le bruit s'apaisa peu à peu, et, vers six heures et demie du soir, ils furent de nouveau seuls dans la grande salle, d'où le dernier consommateur venait de s'éloigner. L'un d'eux interpella aussitôt l'aubergiste fort activé à rincer des verres sur son comptoir. Celui-ci s'empressa d'accourir.

«Que désirent ces messieurs ? demanda-t-il.

—Dîner, répondit un charretier.

—Et coucher ensuite, sans doute ? interrogea l'aubergiste.

—Non, mon maître, répliqua celui des deux rouliers qui paraissait le plus sociable.

Nous comptons repartir à la nuit...

—A la nuit !... s'étonna l'aubergiste.

—Afin, continua son client, d'être dès l'aube sur la place du marché.

—De Saint-André ?

—Ou de Gran. Cela dépendra des circonstances. Nous attendons ici un ami qui est allé aux informations. Il nous dira où nous avons le plus de chances de nous défaire avantageusement de nos marchandises.»

L'aubergiste quitta la salle pour s'occuper des apprêts du repas.

«Tu as entendu, Kaiserlick ? dit à voix basse le plus jeune des deux rouliers en se penchant vers son compagnon.

—Oui.

—Le coup est découvert.

—Tu n'espérais pas, je suppose, qu'il demeurerait caché ?

—Et la police bat la campagne.

—Qu'elle la batte.

—Sous la conduite de Dragoch, à ce qu'on prétend.

—Ça, c'est autre chose, Vogel. A mon idée, ceux qui n'ont que Dragoch à craindre peuvent dormir sur les deux oreilles.

—Que veux-tu dire ?

—Ce que je dis, Vogel.

—Dragoch serait donc ?...

—Quoi ?

—Supprimé ?

—Tu le sauras demain. D'ici là, motus,» conclut le roulier, en voyant revenir l'aubergiste.

Le personnage attendu par les deux charretiers n'arriva qu'à la nuit close. Un rapide colloque s'engagea entre les trois compagnons.

«On affirmait ici que la police est sur la piste, dit à voix basse Kaiserlick.

—Elle cherche, mais elle ne trouvera pas.

—Et Dragoch ?

—Bouclé.

—Qui s'est chargé de l'opération ?

—Titcha.

—Alors, il y a du bon ... Et nous, que devons-nous faire ?

—Atteler sans tarder.

—Pour ?...

—Pour Saint-André, mais à cinq cents mètres d'ici vous rebrousserez chemin. L'auberge aura été fermée pendant ce temps-là. Vous passerez inaperçus, et vous prendrez la route du Nord. Tandis que on vous croira d'un côté, vous serez de l'autre.

—Où est donc, le chaland ?

—A l'anse de Pilis.

—C'est là qu'est le rendez-vous ?

—Non, un peu plus près, à la clairière, sur la gauche de la route. Tu la connais ?

—Oui.

—Une quinzaine des nôtres y sont déjà. Vous irez les rejoindre.

—Et toi ?

—Je retourne en arrière rassembler le surplus de nos hommes que j'ai laissés en surveillance. Je les ramènerai avec moi.

—En route donc,» approuvèrent les charretiers.

Cinq minutes plus tard, la voiture s'ébranlait. L'hôte, tout en maintenant ouvert l'un des battants de la porte cochère, salua poliment ses clients.

« Alors, décidément, c'est-il à Gran que vous allez ? interrogea-t-il.

—Non, répondirent les rouliers, c'est à Saint-André, l'ami.

—Bon voyage, les gars ! formula l'hôte.

—Merci, camarade. »

La charrette tourna à droite et prit, vers l'Est, le chemin de Saint-André. Quand elle eut disparu dans la nuit, le personnage que Kaiserlick et Vogel avaient attendu toute la journée, s'éloigna à son tour, dans la direction opposée, sur la route de Gran.

L'aubergiste ne s'en aperçut même pas. Sans plus s'occuper de ces passants que vraisemblablement il ne reverrait jamais, il se hâta de fermer la maison et de gagner son lit.

La charrette qui, pendant ce temps, s'éloignait au pas tranquille de ses chevaux, fit volte-face au bout de cinq cents mètres, conformément aux instructions reçues, et suivit en sens inverse le chemin qu'elle venait de parcourir.

Lorsqu'elle fut de nouveau à la hauteur de l'auberge, tout y était clos, en effet, et elle aurait dépassé ce point sans incident, si un chien, qui dormait au beau milieu de la chaussée, ne s'était enfui tout à coup en aboyant si violemment, que le cheval de flèche effrayé se déroba par un brusque écart jusque sur le bas côté de la route. Les charretiers eurent vite fait de ramener l'animal en bonne direction, et, pour la seconde fois, la voiture disparut dans la nuit.

Il était environ dix heures et demie quand, abandonnant le chemin tracé, elle pénétra sous le couvert d'un petit bois, dont les masses sombres s'élevaient sur la gauche. Elle fut arrêtée au troisième tour de roue.

«Qui va là ? questionna une voix dans les ténèbres.

—Kaiserlick et Vogel, répondirent les rouliers.

—Passez,» dit la voix.

En arrière des premiers rangs d'arbres la charrette déboucha dans une clairière, où une quinzaine d'hommes dormaient, étendus sur la mousse.

«Le chef est là ? s'enquit Kaiserlick.

—Pas encore.

—Il nous a dit de l'attendre ici.»

L'attente ne fut pas longue. Une demi-heure à peine après la voiture, le chef, ce même personnage qui était venu sur le tard à l'auberge, arriva à son tour, accompagné d'une dizaine de compagnons, ce qui portait à plus de vingt-cinq le nombre des membres de la troupe.

«Tout le monde est là ? demanda-t-il.

—Oui, répondit Kaiserlick qui paraissait détenir quelque autorité dans la bande.

—Et Titcha ?

—Me voici, prononça une voix sonore.

—Eh bien ?.. interrogea anxieusement le chef.

—Réussite sur toute la ligne. L'oiseau est en cage à bord du chaland.

—Partons, dans ce cas, et hâtons-nous, commanda le chef. Six hommes en éclaireurs, le reste à l'arrière-garde, la voiture au milieu. Le Danube n'est pas à cinq cents mètres d'ici, et le déchargement sera fait en un tour de main. Vogel emmènera alors la charrette, et ceux qui sont du pays rentreront tranquillement chez eux. Les autres embarqueront sur le chaland.

On allait exécuter ces ordres, quand un des hommes laissés en surveillance au bord de la route accourut en toute hâte.

—Alerte ! dit-il en étouffant sa voix.

—Qu'y a-t-il ? demanda le chef de la bande.

—Ecoute.

Tous tendirent l'oreille. Le bruit d'une troupe en marche se faisait entendre sur la route.

A ce bruit, bientôt quelques voix assourdies se joignirent. La distance ne devait pas être supérieure à une centaine de toises.

—Restons dans la clairière, commanda le chef. Ces gens-là passeront sans nous voir.»

Assurément, étant donnée l'obscurité profonde, ils ne seraient pas aperçus, mais il y avait ceci de grave : si, par mauvaise chance, c'était une escouade de police qui suivait cette route, c'est qu'elle se dirigeait vers le fleuve. Certes, il pouvait se faire qu'elle ne découvrit pas le bateau, et, d'ailleurs, les précautions étaient prises. Ces agents auraient beau le visiter de fond en comble, ils n'y trouveraient rien de suspect. Mais, même en admettant que cette escouade ne soupçonnât pas l'existence du chaland, peut-être resterait-elle en embuscade dans les environs, et, dans ce cas, il eût été très imprudent de faire sortir la charrette.

Enfin, on tiendrait compte des circonstances, et on agirait selon les événements. Après avoir attendu dans cette clairière toute la journée suivante, s'il le fallait, quelques-uns des hommes descendraient, à la nuit, jusqu'au Danube, et s'assureraient de l'absence de toute force de police.

Pour l'instant, l'essentiel était de ne pas être dépistés, et que rien ne donnât l'éveil à cette troupe qui s'approchait.

Celle-ci ne tarda pas à atteindre le point où la route longeait la clairière. Malgré la nuit noire, on reconnut qu'elle se composait d'une dizaine d'hommes, et de significatifs cliquetis d'acier indiquaient des hommes armés.

Déjà, elle avait dépassé la clairière, lorsqu'un incident vint modifier les choses du tout au tout.

Un des deux chevaux, effrayé par ce passage d'hommes sur la route, s'ébroua et poussa un long hennissement qui fut répété par son congénère.

La troupe en marche s'arrêta sur place.

C'était bien une escouade de police qui descendait vers le fleuve, sous le commandement de Karl Dragoch complètement remis des suites de son accident de la matinée.

Si les gens de la clairière avaient connu ce détail, peut-être leur inquiétude en eût-elle été augmentée. Mais, ainsi qu'on l'a vu, leur chef croyait hors de combat le policier redouté. Pourquoi il commettait cette erreur, pourquoi il estimait ne plus avoir à compter avec un adversaire qu'il avait précisément en face de lui, c'est ce que la suite du récit ne tardera pas à faire comprendre au lecteur.

Lorsque, dans la matinée de ce même jour, Karl Dragoch eut sauté sur la berge, où l'attendait son subordonné, celui-ci l'avait entraîné vers l'amont. Après deux ou trois cents mètres de marche, les deux policiers étaient arrivés à un canot, dissimulé dans les herbes de la rive, à bord duquel ils s'embarquèrent. Aussitôt, les avirons, vigoureusement maniés par Friedrick Ulhmann, emportèrent rapidement la légère embarcation de l'autre côté du fleuve.

«C'est donc sur la rive droite que le crime a été commis ? demanda à ce moment Karl Dragoch.

—Oui, répondit Friedrick Ulhmann.

—Dans quelle direction ?

—En amont. Dans les environs de Gran.

—Comment ! Dans les environs de Gran, se récria Dragoch. Ne me disais-tu pas tout à l'heure que nous n'avions que peu de chemin à faire ?

—Ce n'est pas loin, dit Ulhmann. Il y a peut-être bien trois kilomètres, tout de même.»

Il y en avait quatre, en réalité, et cette longue étape ne put être franchie sans difficulté par un homme qui venait à peine d'échapper à la mort Plus d'une fois, Karl Dragoch dut s'étendre, afin de reprendre le souffle qui lui manquait.

Il était près de trois heures de l'après-midi, quand il atteignit enfin la villa du comte Hagueneau, où l'appelait sa fonction.

Dès qu'il se sentit, grâce à un cordial qu'il s'empressa de réclamer, en possession de tous ses moyens, le premier soin de Karl Dragoch fut de se faire conduire au chevet du gardien Christian Hoël. Pansé quelques heures plus tôt par un chirurgien des environs, celui-ci, la face blanche, les yeux clos, haletait péniblement. Bien que sa blessure fût des plus graves et intéressât le poumon, il subsistait toutefois un sérieux espoir de le sauver, à la condition que la plus légère fatigue lui fût épargnée.

Karl Dragoch put néanmoins obtenir quelques renseignements, que le gardien lui donna d'une voix étouffée, par monosyllabes largement espacés. Au prix de beaucoup de patience, il apprit qu'une bande de malfaiteurs, composée de cinq ou six hommes, au bas mot, avait, au milieu de la nuit dernière, fait irruption dans la villa, après en avoir enfoncé la porte. Le gardien Christian Hoël, réveillé par le bruit, avait eu à peine le temps de se lever, qu'il retombait frappé d'un coup de poignard entre les deux épaules. Il ignorait par conséquent ce qui s'était passé ensuite, et il était incapable de donner aucune indication sur ses agresseurs. Cependant, il savait quel était leur chef, un certain Ladko, dont ses compagnons avaient, à plusieurs reprises, prononcé le nom avec une sorte d'inexplicable forfanterie. Quant à ce Ladko, dont un masque recouvrait le visage, c'était un grand gaillard aux yeux bleus et porteur d'une abondante barbe blonde.

Ce dernier détail, de nature à infirmer les soupçons qu'il avait conçus touchant Ilia Brusch, ne laissa pas de troubler Karl Dragoch.

Qu'Ilia Brusch fût blond, lui aussi, il n'en doutait pas, mais ce blond était déguisé en brun, et on ne retire pas une teinture le soir pour la remettre le lendemain, comme on ferait d'une perruque. Il y avait là une sérieuse difficulté que Dragoch se réserva d'élucider à loisir.

Le gardien Christian ne put, d'ailleurs, lui fournir de plus amples détails. Il n'avait rien remarqué concernant ses autres agresseurs, ceux-ci ayant pris, comme leur chef, la précaution de se masquer.

Muni de ces renseignements, le détective posa ensuite quelques questions touchant la villa même du comte Hagueneau. C'était, ainsi qu'il l'apprit, une très riche habitation meublée avec un luxe princier. Les bijoux, l'argenterie et les objets précieux abondaient dans les tiroirs, les objets d'art sur les cheminées et les meubles, les tapisseries anciennes et les tableaux de maître sur les murs. Des titres avaient même été laissés en dépôt dans un coffre-fort, au premier étage. Nul doute par conséquent que les envahisseurs n'aient eu l'occasion de faire un merveilleux butin.

C'est ce que Karl Dragoch put, en effet, constater aisément en parcourant les diverses pièces de l'habitation. C'était un pillage en règle, accompli avec une parfaite méthode. Les voleurs, en gens de goût, ne s'étaient pas encombrés des non-valeurs. La plupart des objets de prix avaient disparu ; à la place des tapisseries arrachées, de grands carrés de muraille apparaissaient à nu, et, veufs des plus belles toiles découpées avec art, des cadres vides pendaient lamentablement. Les pillards s'étaient approprié jusqu'à des tentures choisies évidemment parmi les plus somptueuses et jusqu'à des tapis sélectionnés parmi les plus beaux.

Quant au coffre-fort, il avait été forcé, et son contenu avait disparu.

«On n'a pas emporté tout cela à dos d'hommes, se dit Karl Dragoch en constatant cette dévastation. Il y avait là de quoi charger une voiture. Reste à dénicher la voiture.»

Cet interrogatoire et ces premières recherches avaient nécessité un temps fort long. La nuit était prochaine. Il importait, avant qu'elle fût complète, de retrouver trace, si faire se pouvait, du véhicule dont les voleurs, d'après le policier, avaient dû nécessairement faire usage. Celui-ci se hâta donc de sortir.

Il n'eut pas loin à aller pour découvrir la preuve qu il recherchait. Sur le sol de la vaste cour ménagée devant la villa, de larges roues avaient laissé de profondes empreintes juste en face de la porte brisée, et, à quelque distance, la terre était piétinée, comme elle aurait pu l'être par des chevaux qui eussent longtemps attendu.

Ces constatations faites d'un coup d'oeil, Karl Dragoch s'approcha de l'endroit où des chevaux paraissaient avoir stationné et examina le sol avec attention. Puis, traversant la cour, il procéda, aux abords immédiats de la grille donnant sur la route, à un nouvel et minutieux examen, à l'issue duquel il suivit le chemin public pendant une centaine de mètres, pour revenir ensuite sur ses pas.

«Ulhmann ! appela-t-il en rentrant dans la cour.

—Monsieur ? répondit l'agent, qui sortit de la maison et s'approcha de son chef.

—Combien avons-nous d'hommes ? demanda celui-ci.

—Onze.

—C'est peu, fit Dragoch.

—Cependant, objecta Ulhmann, le gardien Christian n'estime qu'à cinq ou six le nombre de ses agresseurs.

—Le gardien Christian a son opinion, et moi j'ai la mienne, répliqua Dragoch. N'importe, il faut nous contenter de ce que nous avons. Tu vas laisser un homme ici, et prendre les dix autres. Avec nous deux, ça fera douze. C'est quelque chose.

—Vous avez donc un indice ? interrogea Friedrick Ulhmann.

—Je sais, où sont nos voleurs ... de quel côté ils sont du moins.

—Oserai-je vous demander ?.. commença Ulhmann.

—D'où me vient cette assurance ? acheva Karl Dragoch. Rien n'est plus simple. C'est même véritablement enfantin. Je me suis d'abord dit qu'on avait pris trop de choses ici pour ne pas avoir besoin d'un véhicule quelconque. J'ai donc cherché ce véhicule et je l'ai trouvé. C'est une charrette à quatre roues, attelée de deux chevaux, dont l'un, celui de flèche, offre cette particularité qu'il manque un clou au fer de son pied antérieur droit.

—Comment avez-vous pu savoir cela ? interrogea Ulhmann ébahi.

—Parce qu'il a plu la nuit dernière et que la terre encore mal séchée a gardé fidèlement les empreintes. J'ai appris de la même manière que la charrette, on quittant la villa, avait tourné à gauche, c'est-à-dire dans une direction opposée à celle de Gran. Nous allons nous diriger du même côté et suivre au besoin à la piste le cheval dont le fer est incomplet. Il n'y a pas apparence que nos gaillards aient voyagé pendant le jour. Ils se sont sans doute terrés quelque part jusqu'au soir. Or, la région est peu habitée et les maisons ne sont pas bien nombreuses. Nous fouillerons au besoin toutes celles que nous trouverons sur la route. Réunis tes hommes, car voici venir la nuit, et le gibier doit commencer à se donner de l'air.»

Karl Dragoch et son escouade durent marcher longtemps avant de découvrir un indice nouveau. Il était près de dix heures et demie quand, après avoir visité inutilement deux ou trois fermes, ils arrivèrent, au croisement des trois routes, à l'auberge où les deux rouliers avaient passé la journée et d'où ils venaient de partir trois quarts d'heure plus tôt. Karl Dragoch heurta rudement la porte.

«Au nom de la loi ! prononça Dragoch lorsqu'il vit apparaître à sa fenêtre l'aubergiste, dont il était écrit que le sommeil serait troublé ce jour-là.

—Au nom de la loi !.. répéta l'aubergiste, épouvanté en voyant sa demeure cernée par cette troupe nombreuse. Qu'ai-je donc fait ?

—Descends, et l'on te le dira... Mais surtout ne tarde pas trop,» répliqua Dragoch d'une voix impatiente.

Quand l'aubergiste, à demi vêtu, eut ouvert sa porte, le policier procéda à un rapide interrogatoire. Une charrette était-elle venue ici dans la matinée ? Combien d'hommes la conduisaient ? S'était-elle arrêtée ? Était-elle repartie ? De quel côté s'était-elle dirigée ?

Les réponses ne se firent pas attendre. Oui, une charrette conduite par deux hommes était venue à l'auberge de bon matin. Elle y avait séjourné jusqu'au soir, et n'était repartie qu'après la venue d'un troisième personnage attendu par les deux charretiers. La demie de neuf heures avait déjà sonné, quand elle s'était éloignée dans la direction de Saint-André.

«De Saint-André ? insista Karl Dragoch. Tu en es sûr ?

—Sûr, affirma l'aubergiste.

—On te l'a dit, ou tu l'as vu ?

—Je l'ai vu.

—Hum !... murmura Karl Dragoch, qui ajouta : C'est bon. Remonte te coucher maintenant, mon brave, et tiens ta langue.»

L'aubergiste ne se le fit pas dire deux fois. La porte se referma, et l'escouade de police demeura seule sur la route.

«Un instant !» commanda Karl Dragoch à ses hommes qui restèrent immobiles, tandis que lui-même, muni d'un fanal, examinait minutieusement le sol.

D'abord, il ne remarqua rien de suspect, mais il n'en fut pas ainsi quand, ayant traversé la route, il en eut atteint le bas côté. En cet endroit, la terre moins foulée par le passage des véhicules, et, d'ailleurs, moins solidement empierrée, avait conservé plus de plasticité. Du premier regard, Karl Dragoch découvrit l'empreinte d'un sabot auquel un clou manquait, et constata que le cheval, propriétaire de cette ferrure incomplète, se dirigeait non pas vers Saint-André, ni vers Gran, mais directement vers le fleuve, par le chemin du Nord. C'est donc par ce chemin que Dragoch s'avança à son tour à la tête de ses hommes.

Trois kilomètres environ avaient été franchis sans incident à travers un pays complètement désert, quand, sur la gauche de la route, le hennissement d'un cheval retentit. Retenant ses hommes du geste, Karl Dragoch s'avança jusqu'à la lisière d'un petit bois qu'on distinguait confusément dans l'ombre.

«Qui est là ?..» héla-t-il d'une voix forte.

Nulle réponse n'étant faite à sa question, un des agents, sur son ordre, alluma une torche de résine. Sa flamme fuligineuse brilla d'un vif éclat dans cette nuit sans lune, mais sa lumière mourait à quelques pas, impuissante à percer l'obscurité rendue plus épaisse encore par le feuillage des arbres.

«En avant !» commanda Dragoch, en pénétrant dans le fourré à la tête de l'escouade.

Mais le fourré avait des défenseurs.

A peine en avait-on dépassé la lisière, qu'une voix impérieuse prononça :

«Un pas de plus, et nous faisons feu !»

Cette menace n'était pas pour arrêter Karl Dragoch, d'autant plus qu'à la vague lueur de la torche, il lui avait semblé apercevoir une masse immobile, celle d'une charrette sans doute, autour de laquelle se groupaient une troupe d'hommes, dont il n'avait pu reconnaître le nombre.

«En avant !» commanda-t-il de nouveau.

Obéissant à cet ordre, l'escouade de police continua sa marche fort incertaine dans ce bois inconnu. La difficulté ne tarda pas à s'aggraver. Tout à coup, la torche fut arrachée des mains de l'agent qui la portait. L'obscurité redevint profonde.

«Maladroit !.. gronda Dragoch. De la lumière, Frantz !.. De la lumière !..»

Son dépit était d'autant plus vif qu'au dernier éclat jeté par la torche en s'éteignant, il avait cru voir la charrette commencer un mouvement de retraite et s'éloigner sous les arbres. Malheureusement, il ne pouvait être question de lui donner la chasse. C'est une vivante muraille que l'escouade de police rencontrait devant elle. A chaque agent s'opposaient deux ou trois adversaires, et Dragoch comprenait un peu tard qu'il ne disposait pas de forces suffisantes pour s'assurer la victoire. Jusqu'ici, aucun coup de feu n'avait été tiré, ni d'un côté, ni de l'autre.

«Titcha !.. appela à ce moment une voix dans la nuit.

—Présent ! répondit une autre voix.

—La voiture ?

—Partie.

—Alors, il faut en finir.»

Ces voix, Dragoch les enregistra dans sa mémoire. Il ne devait jamais les oublier.

Ce court dialogue échangé, les revolvers se mirent aussitôt de la partie, ébranlant l'atmosphère de leurs sèches détonations. Quelques agents furent atteints par les balles, et Karl Dragoch, se rendant compte qu'il y aurait eu folie à s'obstiner, dut se résoudre à ordonner la retraite.

L'escouade de police regagna donc la route, où les vainqueurs ne se risqueront pas à la poursuivre, et la nuit reprit son calme un instant troublé.

Il fallut d'abord s'occuper des blessés. Ils étaient au nombre de trois, très légèrement frappés, d'ailleurs. Après un sommaire pansement, ils furent renvoyés en arrière sous la garde de quatre de leurs camarades. Quant à Dragoch, accompagné de Friedrick Ulhmann et des trois derniers agents, il s'élança à travers champs, vers le Danube, en obliquant légèrement dans la direction de Gran.

Il retrouva sans difficulté l'endroit où il avait abordé quelques heures plus tôt, et l'embarcation dans laquelle Ulhmann et lui avaient passé le fleuve. Les cinq hommes s'y embarquèrent, et, le Danube traversé en sens inverse, ils en descendirent le cours sur la rive gauche.

Si Karl Dragoch venait de subir un échec, il entendait avoir sa revanche. Qu'Ilia Brusch et le trop fameux Ladko fussent le même homme, cela ne faisait plus pour lui l'ombre d'un doute, et c'est à son compagnon de voyage, il en était convaincu, que le crime de la nuit précédente devait être imputé. Selon toute vraisemblance, celui-ci, après avoir mis son butin à l'abri, se hâterait de reprendre la personnalité d'emprunt qu'il ne savait pas percée à jour et qui lui avait permis de déjouer jusqu'ici les recherches de la police.

Avant l'aube, il aurait sûrement regagné la barge, et il y attendrait son passager absent, ainsi que l'aurait fait l'inoffensif et honnête pêcheur qu'il prétendait être.

Cinq hommes résolus seraient alors aux aguets. Ces cinq hommes, vaincus par Ladko et sa bande, triompheraient plus aisément de la résistance que pourrait leur opposer ce même Ladko, obligé à la solitude pour jouer son rôle d'Ilia Brusch.

Ce plan très bien conçu fut malheureusement irréalisable. Karl Dragoch et ses hommes eurent beau explorer la rive, il leur fut impossible de découvrir la barge du pêcheur. Dragoch et Ulhmann n'eurent aucune peine, il est vrai, à reconnaître la place précise où le premier avait débarqué, mais, de la barge, pas la moindre trace. La barge avait disparu, et Ilia Brusch avec elle.

Karl Dragoch était joué, décidément, et cela l'emplissait de fureur.

«Friedrick, dit-il à son subordonné, je suis à bout. Il me serait impossible de faire un pas de plus. Nous allons dormir dans l'herbe pour retrouver un peu de force. Mais un de nos hommes va prendre le canot et remonter à Gran sur-le-champ. A l'ouverture du bureau, il fera jouer le télégraphe. Allume un fanal. Je vais dicter. Ecris.

Friedrick Ulhmann obéit en silence :

«Crime commis cette nuit environs de Gran. Butin chargé sur chaland. Exercer rigoureusement visites prescrites.»

—Voilà pour une, dit Dragoch en s'interrompant. A l'autre maintenant.

Il dicta de nouveau :

«Mandat d'amener contre le nommé Ladko, se disant faussement Ilia Brusch et se prétendant lauréat de la Ligue Danubienne au dernier concours de Sigmaringen, ledit Ladko, alias Ilia Brusch, inculpé des crimes de vols et de meurtres.»

—Que ceci soit télégraphié à la première heure à toutes les communes riveraines sans exception,» commanda Karl Dragoch, en s'étendant épuisé sur le sol.

X - PRISONNIER.

Les soupçons conçus par Karl Dragoch et que la découverte du portrait était venue confirmer, ces soupçons n'étaient point entièrement erronés, il est temps de le dire au lecteur pour l'intelligence de ce récit. Sur un point, tout au moins, Karl Dragoch avait justement raisonné. Oui, Ilia Brusch et Serge Ladko n'étaient qu'un seul et même homme.

Mais Dragoch se trompait gravement au contraire quand il attribuait à son compagnon de voyage la série de vols et de meurtres qui, depuis tant de mois, désolaient la région du Danube, et en particulier le dernier attentat, le pillage de la villa du comte Hagueneau et l'assassinat du gardien Christian. Ladko, d'ailleurs, ne se doutait guère que son passager eût de pareilles pensées. Tout ce qu'il savait, c'est que son nom servait à désigner un criminel fameux, et il était incapable de comprendre comment une telle confusion avait pu se produire.

Atterré tout d'abord en se découvrant un si redoutable homonyme, qui, pour comble de malheur, se trouvait être en même temps son compatriote, il s'était ressaisi après ce moment d'effroi instinctif. Que lui importait en somme un malfaiteur avec lequel il n'avait de commun que le nom ? Un innocent n'a rien à craindre. Et, innocent de tous ces crimes, il l'était assurément.

C'est donc sans inquiétude que Serge Ladko—on lui conservera désormais son véritable nom—s'était absenté la nuit précédente, afin de se rendre à Szalka ainsi qu'il l'avait annoncé. C'est dans cette petite ville, en effet, que, dissimulé sous le nom d'Ilia Brusch, il avait fixé sa résidence, après son départ de Roustchouk, et c'est là que, pendant de trop longues semaines, il avait attendu des nouvelles de sa chère Natcha.

L'attente, ainsi qu'on le sait déjà, avait fini par lui devenir intolérable, et il se torturait l'esprit à rechercher un moyen de pénétrer incognito en Bulgarie, quand le hasard lui fit tomber sous les yeux un numéro du Pester Lloyd dans lequel était annoncé à grand fracas le concours de pêche de Sigmaringen.

C'est on lisant l'article consacré à ce concours que l'exilé, aussi habile pêcheur, on ne l'a peut-être pas oublié, que pilote réputé, conçut l'idée d'un plan d'action dont la bizarrerie assurerait peut-être le succès.

Sous le nom d'Ilia Brusch, le seul qu'il eût jamais porté à Szalka, il s'enrôlerait dans la Ligue Danubienne, il participerait au concours de Sigmaringen et, grâce à, sa virtuosité de pêcheur, il y remporterait le premier prix. Après avoir ainsi donné à son nom d'emprunt un commencement de notoriété, il annoncerait avec le plus de bruit possible, et en engageant même des paris, si faire se pouvait, son intention de descendre le Danube, la ligne à la main, depuis la source jusqu'à l'embouchure. Nul doute que ce projet ne mît en révolution le monde spécial des pêcheurs à la ligne et ne valût à son auteur quelque réputation dans le reste du public.

Nanti dès lors d'un état civil hors de discussion, car on accorde, d'ordinaire, une confiance aveugle aux gens en vedette, Serge Ladko descendrait en effet le Danube. Bien entendu, il activerait de son mieux la marche de son bateau et ne perdrait à pêcher que le minimum de temps nécessaire à la vraisemblance. Toutefois, il ferait assez parler de lui le long du parcours pour ne pas se laisser oublier et pour être en état de débarquer ouvertement à Roustchouk sous la protection d'une notoriété bien établie.

Pour que cet unique but de son entreprise fût heureusement atteint, il fallait que nul ne soupçonnât son véritable nom, et que personne ne pût reconnaître, dans les traits du pêcheur Ilia Brusch, ceux du pilote Serge Ladko.

La première condition était facile à réaliser.

Il suffirait, une fois transformé en lauréat de la Ligue Danubienne, de jouer ce rôle sans défaillance. Serge Ladko se jura donc à lui-même d'être Ilia Brusch envers et contre tous, quels que fussent les incidents du voyage. Il était a supposer, d'ailleurs, que ce voyage s'accomplirait lentement, mais sûrement, et qu'aucun incident ne viendrait rendre le serment difficile à tenir.

Satisfaire à la deuxième condition était plus simple encore. Un coup de rasoir qui supprimerait la barbe, une application de teinture qui changerait la couleur des cheveux, de larges lunettes noires qui cacheraient celle des yeux, il n'en fallait pas davantage. Serge Ladko procéda à ce déguisement sommaire dans la nuit qui précéda son départ, puis se mit en route avant l'aube, assuré d'être méconnaissable pour tout regard non prévenu.

A Sigmaringen, les événements s'étaient réalisés conformément, à ses prévisions. Lauréat en vue du concours, l'annonce de son projet avait été favorablement commentée par la Presse des régions riveraines. Devenu ainsi un personnage assez notoire pour que son identité ne pût être raisonnablement suspectée, assuré, d'autre part, de trouver du secours, le cas échéant, près de ses collègues de la Ligue Danubienne disséminés le long du fleuve, Serge Ladko s'était abandonné au courant.

A Ulm, il avait eu une première désillusion, en constatant que sa célébrité relative ne le mettait pas à l'abri des foudres de l'administration. Aussi avait-il été trop heureux d'accepter un passager possédant des papiers bien en règle et dont la police semblait priser l'honorabilité. Certes, quand on serait à Roustchouk et que la prétendue gageure serait abandonnée par son auteur, la présence d'un étranger pourrait présenter des inconvénients.

Mais, alors, on s'expliquerait, et jusque-là elle augmenterait les probabilités de succès d'un voyage que Serge Ladko avait le plus passionné désir de mener à bonne fin.

Apprendre qu'il portait le même nom qu'un redoutable bandit et que ce bandit était Bulgare avait fait éprouver à Serge Ladko sa seconde émotion désagréable. Quelle que fût son innocence, et par conséquent sa sécurité, il ne pouvait méconnaître qu'une telle homonymie était de nature à provoquer les plus regrettables erreurs ou même les plus graves complications.

Que le nom qu'il dissimulait sous celui d'Ilia Brusch vînt à être connu, et non seulement son débarquement à Roustchouk s'en trouverait compromis, mais encore il était à craindre qu'il n'en résultât de longs retards.

Contre ces dangers, Serge Ladko ne pouvait rien. D'ailleurs, s'ils étaient sérieux, il convenait de ne pas les exagérer. En réalité, il était peu croyable que la police accordât, sans raison particulière, son attention à un inoffensif pêcheur à la ligne, et surtout à un pêcheur protégé par les lauriers cueillis au concours de Sigmaringen.

Venu à Szalka après le coucher du soleil et reparti bien avant le jour sans être vu de personne, Serge Ladko n'avait fait que passer dans sa maison, juste le temps de constater qu'aucune nouvelle de Natcha ne l'y attendait. La persistance d'un tel silence avait véritablement quelque chose d'affolant. Pourquoi la jeune femme n'écrivait-elle plus depuis deux mois ? Que lui était-il arrivé ? Les périodes de troubles publics sont fécondes en malheurs privés, et le pilote se demandait avec angoisse si, en admettant qu'il débarquât heureusement à Roustchouk, il n'y débarquerait pas trop tard.

Cette pensée, qui lui brisait le coeur, décuplait en même temps la puissance de ses muscles.

C'est elle qui lui avait donné, au départ de Gran, la force de résister à la tempête et de lutter victorieusement contre le vent déchaîné. C'est elle qui lui faisait hâter le pas, tandis qu'il revenait vers la barge, muni du cordial destiné à M. Jaeger.

Sa surprise fut grande de n'y pas trouver le passager qu il avait quitté si mal en point, et le petit mot d'avertissement écrit par celui-ci ne la diminua pas. Quel motif si impérieux avait pu décider M. Jaeger à s'éloigner malgré son état de faiblesse ? Comment pouvait-il se faire qu'un bourgeois de Vienne eût des affaires si pressantes en rase campagne, loin de tout centre habité ? Il y avait là un problème dont les réflexions du pilote ne rendirent pas la solution plus prochaine.

Quelle qu'en fût la cause, l'absence de M. Jaeger avait, en tous cas, le grave inconvénient d'allonger encore un voyage déjà trop long. Sans cet incident inattendu, la barge aurait vite gagné le milieu du fleuve, et, avant le soir, beaucoup de kilomètres eussent été ajoutés aux kilomètres laissés jusqu'ici dans son sillage.

La tentation était bien forte de tenir pour nulle et non avenue la prière de M. Jaeger, de pousser au large, et de continuer sans perdre une minute un voyage dont le but attirait Serge Ladko comme l'aimant attire le fer.

Le pilote se résigna pourtant à l'attente.

Il avait des obligations à l'égard de son passager, et, tout bien considéré, mieux valait perdre une journée et ne fournir aucun prétexte à des contestations ultérieures.

Pour utiliser la fin de cette journée plus qu'à demi écoulée déjà, le travail heureusement ne manquerait pas.

Elle suffirait à peine à remettre de l'ordre dans la barge et à réparer quelques petits dégâts causés par la tempête.

Serge Ladko s'occupa tout d'abord de ranger les coffres dont il avait bouleversé le contenu pendant ses infructueuses recherches de la matinée. Cela ne lui aurait pas demandé beaucoup de temps, si, en achevant le rangement du dernier, son regard ne fût tombé sur ce même portefeuille qui avait précédemment sollicité l'attention de Karl Dragoch. Ce portefeuille, le pilote l'ouvrit comme l'avait ouvert le policier, et, comme celui-ci, mais agité de sentiments tout autres, il en retira le portrait que Natcha lui avait remis à l'instant de leur séparation, avec une dédicace pleine de tendresse.

Un long moment, Serge Ladko contempla ce visage adorable. Natcha !.. C'était bien elle !.. C'étaient bien ses traits chéris, ses yeux si purs, ses lèvres entr'ouvertes comme si elles allaient parler !..

Avec un soupir, il replaça enfin la chère image dans le portefeuille et le portefeuille dans le coffre, qu'il referma avec soin et dont il mit la clef dans sa poche, puis il sortit du tôt pour vaquer à d'autres travaux.

Mais il n'avait plus de coeur à l'ouvrage. Bientôt ses mains demeurèrent inactives, et, assis sur l'un des bancs, le dos tourné à la rive, il laissa son regard errer sur le fleuve. Sa pensée s'envola vers Roustchouk. Il vit sa femme, sa maison riante et pleine de chansons... Certes, il ne regrettait rien. Sacrifier son propre bonheur à la patrie, il le referait si c'était à refaire... Quelle douleur pourtant qu'un si cruel sacrifice eût été à ce point inutile ! La révolte éclatant prématurément et écrasée sans recours, combien d'années encore la Bulgarie gémirait-elle sous le joug des oppresseurs ? Lui-même pourrait-il franchir la frontière, et, s'il y parvenait, retrouverait-il celle qu'il aimait ?

Les Turcs ne s'étaient-ils pas emparés, comme d'un otage, de la femme d'un de leurs adversaires les plus déterminés ? S'il en était ainsi, qu'avaient-ils fait de Natcha ?

Hélas ! cet humble drame intime disparaissait dans la convulsion qui secouait la région balkanique. Combien peu comptait cette misère de deux êtres, au milieu de la détresse publique ? Toute la péninsule était parcourue à cette heure par des hordes féroces. Partout le galop sauvage des chevaux faisait trembler la terre, et dans les plus pauvres villages avaient passé la dévastation et la guerre.

Contre le colosse turc, deux pygmées : la Serbie et le Monténégro. Ces David réussiraient-ils à vaincre Goliath ? Ladko comprenait à quel point la bataille était inégale, et, tout pensif, il plaçait son espoir dans le père de tous les Slaves, le grand Tzar de Russie, qui, un jour peut-être, daignerait étendre sa main puissante au-dessus de ses fils opprimés.

Absorbé dans ses pensées, Serge Ladko avait perdu jusqu'au souvenir du lieu où il se trouvait. Un régiment tout entier eût défilé derrière lui sur la berge qu'il ne se fût pas retourné. A fortiori ne s'aperçut-il pas de l'arrivée de trois hommes qui venaient de l'amont et marchaient avec précaution. Mais, si Ladko ne vit pas ces trois hommes, ceux-ci le virent aisément, dès que la barge leur apparut au tournant du fleuve. Le trio fit halte aussitôt et tint conciliabule à voix basse.

L'un de ces trois nouveaux venus a déjà été présenté au lecteur, lors de l'escale à Vienne, sous le nom de Titcha. C'est lui qui, en compagnie d'un acolyte, s'était attaché aux pas de Karl Dragoch, après que le détective eut filé de son côté Ilia Brusch, tandis que ce dernier faisait une innocente démarche près d'un des intermédiaires employés lors des envois d'armes en Bulgarie.

Cette filature avait, on s'en souvient, amené jusqu'à proximité de la barge les deux espions, qui, sûrs de connaître l'habitation flottante du policier, s'étaient alors éloignés en projetant de tirer parti de leur découverte. Ces projets, il s'agissait maintenant de les réaliser.

Les trois hommes s'étaient tapis dans l'herbe de la rive, et, de là, ils épiaient Serge Ladko. Celui-ci, poursuivant sa méditation, ignorait leur présence et n'avait aucun soupçon du danger qu'elle lui faisait courir. Le danger était grand, cependant, ces gens en embuscade, trois affiliés de la bande de malfaiteurs qui parcourait alors la région du Danube, n'étant pas de ceux qu'il fait bon rencontrer dans un lieu désert.

De cette bande, Titcha était même un membre important ; il pouvait être considéré comme le premier après le chef, dont les exploits valaient au nom du pilote une honteuse célébrité. Quant aux deux autres, Sakmann et Zerlang, simples comparses : des bras, non des têtes.

«C'est lui ! murmura Titcha, en arrêtant de la main ses compagnons, dès qu'il découvrit la barge au détour du fleuve.

—Dragoch ? interrogea Sakmann.

—Oui.

—Tu en es sûr ?

—Absolument.

—Mais tu ne vois pas sa figure, puisqu'il a le dos tourné, objecta Zerlang.

—Ça ne m'avancerait pas à grand'chose de voir sa figure ; répondit Titcha. Je ne le connais pas. A peine si je l'ai aperçu à Vienne.

—Dans ce cas !..

—Mais je reconnais parfaitement le bateau, interrompit Titcha, j'ai eu tout le loisir de l'examiner, pendant que Ladko et moi nous étions noyés dans la foule.

Je suis certain de ne pas me tromper.

—En route, alors ! fit l'un des hommes.

—En route,» approuva Titcha, en dépliant un paquet qu'il tenait sous son bras.

Le pilote continuait à ne pas se douter de la surveillance dont il était l'objet. Il n'avait pas entendu les trois hommes arriver ; il ne les entendit pas davantage, lorsqu'ils s'approchèrent en étouffant le bruit de leurs pas dans l'herbe épaisse de la rive. Perdu dans son rêve, il laissait sa pensée fuir avec le courant vers Natcha et vers le pays.

Tout à coup une multitude d'inextricables liens s'enroulèrent à la fois autour de lui, l'aveuglant, le paralysant, l'étouffant.

Redressé d'une secousse, il se débattait instinctivement et s'épuisait en vains efforts, quand un choc violent sur le crâne le jeta tout étourdi dans le fond de la barge. Pas si vite, cependant, qu'il n'ait eu le temps de se voir prisonnier des mailles de l'un de ces vastes filets désignés sous le nom d'éperviers, dont lui-même avait usé plus d'une fois pour capturer le poisson.

Lorsque Serge Ladko sortit de ce demi-évanouissement, il n'était plus enveloppé du filet à l'aide duquel on l'avait réduit à l'impuissance. Par contre, étroitement ligotté par les multiples tours d'une corde solide, il n'aurait pu faire le plus petit mouvement ; un bâillon eût au besoin étouffé ses cris, un impénétrable bandeau lui enlevait l'usage de la vue.

La première sensation de Serge Ladko, en revenant à la vie, fut celle d'un véritable ahurissement. Que lui était-il arrivé ? Que signifiait cette inexplicable attaque, et que voulait-on faire de lui ? A tout prendre, il avait lieu de se rassurer dans une certaine mesure.

Si l'on avait eu l'intention de le tuer, c'eût été chose faite. Puisqu'il était encore de ce monde, c'est qu'on n'en voulait pas à sa vie, et que ses agresseurs, quels qu'ils fussent, n'avaient d'autre intention que de s'emparer de sa personne.

Mais pourquoi, dans quel but s'emparer de sa personne ?

A cette question, il était malaisé de répondre. Des voleurs ?.. Ils n'eussent pas pris la peine de ficeler leur victime avec un tel luxe de précautions, quand un coup de couteau les eût servis plus rapidement et plus sûrement. D'ailleurs, combien misérables les voleurs que le contenu de la pauvre barge eût été capable de tenter !

Une vengeance ?.. Impossibilité plus grande encore. Ilia Brusch n'avait pas d'ennemis. Les seuls ennemis de Ladko, les Turcs, ne pouvaient soupçonner que le patriote bulgare se cachât sous le nom du pêcheur, et, quand bien même ils en auraient été informés, il n'était pas un personnage si considérable qu'ils se fussent risqués à cet acte de violence si loin de la frontière, en plein coeur de l'Empire d'Autriche. Au surplus, des Turcs l'eussent supprimé, eux aussi, plus certainement encore que de simples voleurs.

S'étant convaincu que, pour l'instant du moins, le mystère était impénétrable, Serge Ladko, en homme pratique, cessa d'y penser, et consacra toutes les forces de son intelligence à observer ce qui allait suivre et à chercher les moyens, s'il en existait, de reconquérir sa liberté.

A vrai dire, sa situation ne se prêtait pas à des observations nombreuses. Raidi par l'étreinte d'une corde enroulée en spirales autour de son corps, le moindre mouvement lui était interdit, et le bandeau était si bien appliqué sur ses yeux qu'il n'aurait su dire s'il faisait jour ou s'il faisait nuit.

La première chose qu'il reconnut, en concentrant toute son attention dans le sens de l'ouïe, c'est qu'il reposait dans le fond d'un bateau, le sien sans aucun doute, et que ce bateau avançait rapidement sous l'effort de bras robustes. Il entendait distinctement, en effet, le grincement des avirons contre le bois des tolets, et le bruissement de l'eau glissant sur les flancs de l'embarcation.

Dans quelle direction se dirigeait-on ? Tel fut le second problème dont il trouva assez facilement la solution, en constatant une sensible différence de température entre le côté gauche et le côté droit de sa personne. Les secousses que lui communiquait la barge à chaque impulsion des avirons lui montrant qu'il était couché dans le sens de la marche, et le soleil, au moment de l'agression, n'étant guère éloigné du méridien, il en conclut sans peine qu'une moitié de son corps était à l'ombre produite par la paroi de l'embarcation et que celle-ci se dirigeait de l'Ouest à l'Est, en continuant par conséquent à suivre le courant, comme au temps où elle obéissait à son maître légitime.

Aucune parole n'était échangée entre ceux qui le tenaient en leur pouvoir. Nul bruit humain ne frappait son oreille, hors les han ! des nautoniers lorsqu'ils pesaient sur les rames. Cette navigation silencieuse durait depuis une heure et demie environ, quand la chaleur du soleil gagna son visage et lui apprit ainsi que l'on obliquait vers le Sud. Le pilote n'en fut pas étonné. Sa parfaite connaissance des moindres détours du fleuve lui fit comprendre que l'on commençait à suivre la courbe qu'il décrit en face du mont Pilis. Bientôt, sans doute, on reprendrait la direction de l'Est, puis celle du Nord, jusqu'au point extrême d'où le Danube commence à descendre franchement vers la péninsule des Balkans.

Ces prévisions ne se réalisèrent qu'en partie.

Au moment où Serge Ladko calculait que l'on avait atteint le milieu de l'anse de Pilis, le bruit des avirons cessa tout à coup. Tandis que la barge courait sur son erre, une voix rude se fit entendre.

«Prends la gaffe,» commanda l'un des invisibles assaillants.

Presque aussitôt, il y eut un choc, que suivit un grincement tel qu'en aurait pu produire le bordage éraflant un corps dur, puis Serge Ladko fut soulevé et hissé de mains en mains.

Evidemment la barge avait accosté un autre bateau de dimensions plus considérables, à bord duquel le prisonnier était embarqué à la façon d'un colis. Celui-ci tendait vainement l'oreille afin de saisir au passage quelques paroles. Pas un mot n'était prononcé. Les geôliers ne se révélaient que par le contact de leurs mains brutales et par le souffle de leurs poitrines haletantes.

Ballotté, tiraillé en tous sens, Serge Ladko, d'ailleurs, n'eut pas le loisir de la réflexion. Après l'avoir monté, on le descendit le long d'une échelle qui lui laboura cruellement les reins. Aux heurts dont il était meurtri, il comprit qu'on le faisait passer par une ouverture étroite, et enfin, bandeau et bâillon arrachés, il fût jeté bas comme un paquet, tandis que le bruit sourd d'une trappe qui se ferme résonnait au-dessus de lui.

Il fallut un long moment, à Serge Ladko, tout étourdi de la secousse, pour reprendre conscience de lui-même. Quand il y fut parvenu, sa situation ne lui parut pas améliorée, bien qu'il eût retrouvé l'usage de la parole et de la vue. Si l'on avait jugé un bâillon inutile, c'est évidemment que personne ne pouvait entendre ses cris, et la suppression de son bandeau ne lui était pas d'un plus grand secours.

C'est en vain qu'il ouvrait les yeux. Autour de lui tout était ombre. Et quelle ombre ! Le prisonnier, qui, d'après la succession des sensations ressenties, supposait avoir été déposé dans la cale d'un bateau, s'épuisait en inutiles efforts pour découvrir la plus faible raie de lumière filtrant à travers le joint d'un panneau. Il ne distinguait rien. Ce n'était pas l'obscurité d'une cave, dans laquelle l'oeil parvient encore à discerner quelque vague lueur : c'était le noir total, absolu, comparable seulement à celui qui doit régner dans la tombe.

Combien d'heures s'écoulèrent ainsi ? Serge Ladko estimait qu'on était parvenu au milieu de la nuit, quand un vacarme, assourdi par la distance, parvint jusqu'à lui. On courait, on piétinait. Puis le bruit se rapprocha. De lourds colis étaient traînés directement au-dessus de sa tête, et c'est à peine, il l'eût juré, si l'épaisseur d'une planche le séparait des travailleurs inconnus.

Le bruit se rapprocha encore. On parlait maintenant à côté de lui, sans doute derrière l'une des cloisons délimitant sa prison, mais, de ce qu'on disait, il était impossible de deviner le sens.

Bientôt, d'ailleurs, le bruit s'apaisa, et de nouveau ce fut le silence autour du malheureux pilote qu'environnait une ombre impénétrable.

Serge Ladko s'endormit.

XI - AU POUVOIR D'UN ENNEMI.

Après que Karl Dragoch et ses hommes eurent battu en retraite, les vainqueurs étaient d'abord restés sur le lieu du combat, prêts à s'opposer à un retour offensif, tandis que la charrette s'éloignait dans la direction du Danube. Ce fut seulement quand le temps écoulé eut rendu certain le départ définitif des forces de police que, sur un ordre de son chef, la bande des malfaiteurs se mit en marche à son tour.

Ils eurent bientôt atteint le fleuve, qui coulait à moins de cinq cents mètres. La charrette les y attendait, en face d'un chaland, dont on apercevait la masse sombre à quelques mètres de la rive.

La distance était médiocre et les travailleurs nombreux. En peu d'instants, le va-et-vient de deux bachots eut transporté à bord de ce chaland le chargement de la voiture. Aussitôt, celle-ci s'éloigna et disparut dans la nuit, tandis que la plupart des combattants de la clairière se dispersaient à travers la campagne, après avoir reçu leur part de butin. Du crime qui venait d'être commis, il ne subsistait plus d'autre trace qu'un amoncellement de colis encombrant le pont de la gabarre, à bord de laquelle ne s'étaient embarqués que huit hommes.

En réalité, la fameuse bande du Danube était exclusivement composée de ces huit hommes. Quant aux autres, ils représentaient une faible partie d'un personnel indéterminé de sous-ordres, dont telle ou telle fraction était utilisée, selon la région exploitée : Ceux-ci demeuraient toujours étrangers à l'exécution proprement dite des coups de main, et leur rôle, limité aux fonctions de porteurs, de vedettes ou de gardes du corps, ne commençait qu'au moment où il s'agissait d'évacuer vers le fleuve le butin conquis.

Cette organisation était des plus habiles.

Par ce moyen, la bande disposait, sur tout le parcours du Danube, d'innombrables affiliés dont bien peu se rendaient compte du genre d'opérations auxquelles ils apportaient leur concours. Recrutés dans la classe la plus illettrée, de véritables brutes en général, ils croyaient participer à de vulgaires actes de contrebande et ne cherchaient pas à en savoir davantage. Jamais ils n'avaient songé à établir le moindre rapprochement entre celui qui commandait les expéditions auxquelles ils prenaient part et ce fameux Ladko qui, tout en leur cachant son nom, semblait se complaire étrangement à laisser une trace quelconque de son état civil sur chaque théâtre de ses crimes.

Leur indifférence paraîtra moins surprenante, si l'on veut bien considérer que ces crimes, commis sur tout le cours du Danube, étaient éparpillés sur une immense étendue. L'émotion publique avait donc, entre chacun d'eux, le temps de se calmer. C'est surtout dans les bureaux de la police, où venaient se centraliser toutes les plaintes des régions riveraines, que le nom de Ladko avait acquis sa triste célébrité. Dans les villes, la classe bourgeoise, à cause des manchettes ronflantes des journaux, lui accordait encore un intérêt spécial. Mais pour la masse du peuple, et, a fortiori, pour les paysans, il n'était qu'un malfaiteur comme un autre, dont on a à souffrir une fois et qu'on ne revoit plus ensuite.

Au contraire, les huit hommes restés à bord du chaland se connaissaient tous entre eux et formaient une véritable bande. A l'aide de leur bateau, ils montaient ou descendaient sans cesse le Danube. Que l'occasion d'une profitable opération se présentât, ils s'arrêtaient, recrutaient dans les environs le personnel nécessaire, puis, le butin en sûreté dans leur cachette flottante, ils repartaient, en quête de nouveaux exploits.

Quand le chaland était plein, ils gagnaient la mer Noire où un vapeur à leur dévotion venait croiser au jour fixé.

Transportées à bord de ce vapeur, les richesses volées, et parfois acquises au prix d'un meurtre, y devenaient brave et loyale cargaison, capable d'être échangée contre de l'or, dans des contrées lointaines, au grand soleil des honnêtes gens.

C'est exceptionnellement que la bande, la nuit précédente, avait fait parler d'elle à si faible distance de son précédent méfait. Elle ne commettait pas, d'ordinaire, une telle faute, qui, répétée, eût pu donner l'éveil aux complices inconscients qu'elle embauchait dans le pays. Mais, cette fois, son capitaine avait eu une raison particulière de ne pas s'éloigner, et si cette raison n'était pas celle que lui avait attribuée Karl Dragoch, en causant à Ulm avec Friedrich Ulhmann, la personnalité du policier n'y était cependant pas étrangère.

Reconnu à Vienne par le chef de bande lui-même, alors accompagné de son second, Titcha, il avait été, depuis cet instant, suivi à la piste, sans le savoir, par une série d'affiliés locaux auxquels on n'avait dit que l'essentiel, et le chaland s'était appliqué à ne précéder la barge que de quelques kilomètres. Cet espionnage, des plus malaisés dans une contrée souvent découverte et où abondaient en ce moment les gens de police, avait été forcément intermittent, et le hasard avait voulu que jamais Karl Dragoch et son hôte ne fussent aperçus en même temps. Rien n'avait donc permis de supposer que la barge eût deux habitants, ni d'admettre, par conséquent, la possibilité d'une erreur.

En instituant cette surveillance, le capitaine des bandits rêvait d'un coup de maître. Supprimer le détective ? Il n'y songeait pas. Pour le moment tout au moins, il projetait seulement de s'en emparer, Karl Dragoch en son pouvoir, il aurait ensuite la partie belle pour traiter d'égal à égal, si jamais un sérieux danger le menaçait.

Pendant plusieurs jours, l'occasion de cet enlèvement ne s'était pas présentée. Ou bien la barge s'arrêtait le soir à trop faible distance d'un centre habité, ou bien on rencontrait dans son voisinage trop immédiat quelques-uns des agents égrenés sur la rive et dont la qualité ne pouvait échapper à un professionnel du crime.

Le matin du 29 août, enfin, les circonstances avaient paru favorables. La tempête qui, la nuit précédente, avait protégé la bande pendant qu'elle s'attaquait à la villa du comte Hagueneau, devait avoir plus ou moins dispersé les policiers qui précédaient ou suivaient leur chef le long du fleuve. Peut-être celui-ci serait-il momentanément seul et sans défense. Il fallait en profiter.

Aussitôt la voiture chargée des dépouilles de la villa, Titcha avait été dépêché avec deux des hommes les plus résolus. On a vu comment les trois aventuriers s'étaient acquittés de leur mission, et comment le pilote Serge Ladko était devenu leur prisonnier, au lieu et place du détective Karl Dragoch.

Jusqu'ici, Titcha n'avait pu renseigner son capitaine sur l'heureuse issue de sa mission que par les quelques mots brefs échangés dans la clairière, au moment où l'escouade de police était survenue sur la route. L'entretien serait nécessairement repris à ce sujet, mais, pour l'instant, il ne pouvait en être question. Avant tout, il s'agissait de faire disparaître et de mettre à l'abri les nombreux colis entassés sur le pont, et c'est à quoi s'employèrent sans tarder les huit hommes formant l'équipage de la gabarre.

Soit à bras, soit en les faisant glisser sur des plans inclinés, ces colis furent d'abord introduits dans l'intérieur du bateau, premier travail qui n'exigea que quelques minutes, puis on procéda à l'arrimage définitif.

Pour cela le plancher de la cale fut soulevé et laissa à découvert une ouverture béante, à la place où l'on se fût légitimement attendu a trouver l'eau du Danube. Une lanterne, descendue dans ce deuxième compartiment, permit d'y distinguer un amoncellement d'objets hétéroclites qui le remplissaient déjà en partie. Il restait assez de place, cependant, pour que les dépouilles du comte Hagueneau pussent être logées à leur tour dans l'introuvable cachette.

Merveilleusement truquée, en effet, était cette gabarre qui servait à la fois de moyen de transport, d'habitation et de magasin inviolable. Au-dessous du bateau visible, un autre plus petit s'appliquait, le pont de celui-ci formant le fond de celui-là. Ce second bateau, d'une profondeur de deux mètres environ, avait un déplacement tel, qu'il fût capable de porter le premier et de le soulever d'un pied ou deux au-dessus de la surface de l'eau. On avait remédié à cet inconvénient, qui aurait, sans cela, dévoilé la supercherie, en chargeant le bateau inférieur d'une quantité de lest suffisant à le noyer entièrement, de telle sorte que le chaland supérieur gardât la ligne de flottaison qu'il devait avoir à vide.

Vide, sa cale l'était toujours, les marchandises volées, qui allaient s'entasser dans le double fond, y remplaçaient un poids correspondant de lest, et l'aspect de l'extérieur n'était en rien modifié.

Par exemple cette gabarre, qui, lège, aurait dû normalement caler à peine un pied, s'enfonçait dans l'eau de près de sept. Cela n'était pas sans créer de réelles difficultés dans la navigation du Danube et rendait nécessaire le concours d'un excellent pilote. Ce pilote, la bande le possédait dans la personne de Yacoub Ogul, un israélite natif lui aussi de Roustchouk.

Très pratique du fleuve, Yacoub Ogul aurait pu lutter avec Serge Ladko lui-même pour la parfaite connaissance des passes, des chenals et des bancs de sable ; d'une main sûre, il dirigeait le chaland à travers les rapides semés de rochers que l'on rencontre parfois sur son cours.

Quant à la police, elle pouvait examiner le bateau tant que cela lui plairait. Elle pouvait en mesurer la hauteur intérieure et extérieure sans trouver la plus petite différence. Elle pouvait sonder tout autour sans rencontrer la cachette sous-marine, établie suffisamment en retrait, et de lignes assez fuyantes pour qu'il fût impossible de l'atteindre. Toutes ses investigations l'amèneraient uniquement à constater que ce chaland était vide et que ce chaland vide enfonçait dans l'eau de la quantité strictement suffisante pour équilibrer son poids.

En ce qui concerne les papiers, les précautions n'étaient pas moins bien prises. Dans tous les cas, soit qu'elle descendît le courant, soit qu'elle le remontât, la gabarre, ou allait chercher des marchandises, ou, marchandises débarquées, retournait à son port d'attache. Selon le choix qui paraissait le meilleur, elle appartenait, tantôt à M. Constantinesco, tantôt à M. Wenzel Meyer, tous deux commerçants, l'un de Galatz, l'autre de Vienne. Les papiers, illustrés des cachets les plus officiels, étaient à ce point en règle, que jamais personne n'avait songé à les vérifier. L'eût-on fait, d'ailleurs, que l'on aurait constaté l'existence d'un Constantinesco ou d'un Wenzel Meyer dans l'une ou l'autre des deux villes indiquées. En réalité, le propriétaire s'appelait Ivan Striga.

Le lecteur se rappellera peut-être que ce nom appartenait à un des individus les moins recommandables de Roustchouk, qui, après s'être vainement opposé au mariage de Serge Ladko et de Natcha Gregorevitch, avait disparu ensuite de la ville.

Sans qu'on entendît parler positivement de lui, de mauvais bruits avaient alors couru sur son compte, et la rumeur publique l'accusait de tous les crimes.

Pour une fois, la rumeur publique ne se trompait pas. Avec sept autres misérables de son espèce, Ivan Striga avait, en effet, formé une bande de véritables pirates, qui, depuis lors, écumait littéralement les deux rives du Danube.

Avoir trouvé ainsi le chemin de la richesse facile, c'était quelque chose ; s'assurer la sécurité, c'était mieux encore. Dans ce but, au lieu de cacher son nom et son visage, ainsi que l'aurait fait un malfaiteur vulgaire, il s'était arrangé de manière, à ne pas être un anonyme pour ses victimes. Bien, entendu, ce n'était pas son vrai nom qu'il leur faisait connaître. Non, celui qu'il avait résolu de laisser deviner avec une adroite imprudence, c'était celui de Serge Ladko.

S'abriter, afin d'échapper aux conséquences d'un forfait, derrière une personnalité d'emprunt, c'est un stratagème assez commun, mais Striga l'avait rénové par le choix intelligent du pseudonyme qu'il s'attribuait.

Si le nom de Ladko n'était, ni plus ni moins qu'un autre, capable de créer une confusion et, par suite, hors le cas de flagrant délit, de détourner les soupçons au profit du coupable, il possédait quelques avantages qui lui étaient propres.

En premier lieu, Serge Ladko n'était pas un mythe. Il existait, si le coup de fusil qui l'avait salué à son départ de Roustchouk ne l'avait pas abattu pour jamais. Bien que Striga se vantât volontiers d'avoir supprimé son ennemi, la vérité est qu'il n'en savait rien. Peu importait, d'ailleurs, au point de vue de l'enquête qui pouvait être faite à Roustchouk.

Si Ladko était mort, la police ne pourrait rien comprendre aux accusations dont il serait l'objet. S'il était vivant, elle trouverait un homme de chair et d'os, d'une honorabilité si bien établie que l'enquête, selon toute vraisemblance, en resterait là. Sans doute, on rechercherait alors ceux qui auraient la malchance d'être ses homonymes. Mais, avant qu'on eût passé au crible tous les Ladkos du monde, il coulerait de l'eau sous les ponts du Danube !

Que si, d'aventure, les soupçons, à force d'être dirigés dans la même direction, finissaient par entamer la cuirasse d'honorabilité de Serge Ladko, ce serait alors un résultat doublement heureux. Outre qu'il est toujours agréable à un bandit de savoir qu'un autre est inquiété à sa place, cette substitution lui devient plus agréable encore quand il a voué à sa victime une haine mortelle.

Alors même que ces déductions eussent été déraisonnables, l'absence de Serge Ladko, dont personne ne connaissait la patriotique mission, les eût rendues logiques. Pourquoi le pilote était-il parti sans crier gare ? La section locale de la police du fleuve commençait précisément à se poser cette question au moment où Karl Dragoch découvrait ce qu'il croyait être la vérité, et, comme chacun sait, lorsque la police commence à se poser des questions, il y a peu de chances qu'elle y réponde avec bienveillance.

Ainsi, la situation était bien nette dans sa dramatique complication. Une longue série de crimes que des maladresses voulues faisaient toujours attribuer à un certain Ladko, de Roustchouk ; le pilote du même nom, vaguement, très vaguement encore soupçonné, à cause de son absence, d'être le coupable, tandis qu'à des centaines de kilomètres un Ladko, accusé par de plus sérieuses présomptions, était dépisté sous le déguisement du pêcheur Ilia Brusch ; et Striga, pendant ce temps, reprenant, après chaque expédition, son état civil authentique, pour circuler librement sur le Danube.

Toutefois, pour que sa sécurité ne fût pas menacée, la condition essentielle était que l'on fit disparaître toute trace compromettante dans le plus bref délai possible. C'est pourquoi, ce soir-là, le butin nouvellement conquis fut, comme de coutume, rapidement déposé dans l'introuvable cachette. C'est le bruit de cet arrimage que le véritable Serge Ladko entendit dans son cachot pris aux dépens de cette même cale sous-marine, au fond de laquelle nulle puissance humaine n'était capable de le secourir. Puis, le parquet remis en place, les hommes remontèrent sur le pont dont les panneaux furent refermés. La police pouvait venir désormais.

Il était, à ce moment, près de trois heures du matin. L'équipage de la gabarre, surmené par les fatigues de cette nuit et par celles de la nuit précédente, aurait eu grand besoin de repos, mais il ne pouvait en être question.

Striga, désireux de s'éloigner au plus vite du lieu de son dernier crime, donna l'ordre de se mettre en route en profitant de l'aube naissante, ordre qui fut exécuté sans un murmure, chacun comprenant la force des raisons qui le dictaient.

Pendant qu'on s'occupait de ramener l'ancre à bord et de pousser le chaland au milieu du fleuve, Striga s'enquit des péripéties de l'expédition de la matinée.

«Ça a été tout seul, lui répondit Titcha. Le Dragoch a été pris au premier coup de filet comme un simple brochet.

—Vous a-t-il vus ?

—Je ne crois pas. Il avait autre chose à penser.

—Il ne s'est pas débattu ?

—Il a essayé, la canaille.

J'ai dû l'assommer à moitié pour le faire tenir tranquille.

—Tu ne l'as pas tué, au moins ? demanda vivement Striga.

—Que non pas ! Étourdi tout au plus. J'en ai profité pour le ligotter proprement. Mais je n'avais pas fini le paquetage que le colis respirait comme père et mère.

—Et maintenant ?

—Il est dans la cale. Dans le double fond, naturellement.

—Sait-il où on l'a transporté ?

—Il faudrait alors qu'il soit rudement malin, déclara Titcha en riant bruyamment. Tu dois bien penser que je n'ai oublié ni le bâillon, ni le bandeau. On ne les a retirés que le particulier en cage. Là, il peut, si ça lui convient, chanter des romances et admirer le paysage.

Striga sourit sans répondre. Titcha reprit :

—-J'ai fait ce que tu as commandé, mais où cela nous mènera-t-il ?

—Ne serait-ce qu'à désorganiser la brigade privée de son chef, répondit Striga.

Titcha haussa les épaules.

—On en nommera un autre, dit-il.

—Possible, mais il ne vaudra peut-être pas celui que nous tenons. Dans tous les cas, nous pourrons causer. Au besoin, nous le rendrions en échange des passeports qui nous seraient nécessaires. Il est donc essentiel de le garder vivant.

—Il l'est, affirma Titcha.

—A-t-on pensé à lui donner à manger ?

—Diable !... fit Titcha en se grattant la tête. On l'a tout à fait oublié.

Mais douze heures d'abstinence n'ont jamais fait de mal à personne, et je lui porterai son dîner dès que nous serons en marche ... A moins que tu ne veuilles le lui porter toi-même, pour te rendre compte par tes yeux ?

—Non, dit vivement Striga. Je préfère qu'il ne me voie pas. Je le connais et il ne me connaît pas. C'est un avantage que je ne veux pas perdre.

—Tu pourrais mettre un masque.

—Ça ne prendrait pas avec Dragoch. Pas besoin qu'on lui montre son visage. La taille, la carrure, le moindre détail lui suffit pour reconnaître les gens.

—Alors, je suis frais, moi, qui suis obligé de lui porter sa pitance !

—Il faut bien que quelqu'un le fasse ... D'ailleurs, Dragoch n'est pas bien dangereux actuellement, et, s'il le redevient jamais, c'est que nous serons à l'abri.

—Amen !.. fit Titcha.

—Pour le moment, reprit Striga, on va le laisser dans sa boîte. Pas trop longtemps, par exemple, sans quoi il finirait par mourir asphyxié. On le remontera dans une cabine du pont quand nous aurons dépassé Budapest, demain matin, après mon départ.

—Tu as donc l'intention de t'absenter ? demanda Titcha.

—Oui, répondit Striga. Je quitterai le chaland de temps en temps afin de recueillir des informations sur la rive. Je verrai ce qu'on dit de notre dernière affaire et de la disparition de Dragoch.

—Et si tu te fais pincer ? objecta Titcha.

—Pas de danger. Personne ne me connaît, et la police du fleuve doit être dans le marasme.

Pour les autres, j'aurai, s'il le faut, une identité toute neuve.

—Laquelle ?

—Celle du célèbre Ilia Brusch, pêcheur insigne et lauréat de la Ligue

Danubienne.

—Quelle idée !

—Excellente. J'ai le bateau d'Ilia Brusch. Je lui emprunterai sa peau, à l'exemple de Karl Dragoch.

—Et si l'on te demande du poisson ?

—J'en achèterai, s'il le faut, pour le revendre.

—Tu as réponse à tout.

—Parbleu !»

La conversation prit fin sur ce mot. Le chaland avait commencé a suivre le fil du courant. Il soufflait une légère brise du Nord qui serait très favorable quand, un peu au-dessus de Visegrad, le Danube, revenant sur lui-même, suivrait la direction du Sud. Jusque-là, au contraire, cette brise du Nord retardait singulièrement le bateau, et Striga, pressé de s'éloigner du théâtre de ses exploits, donna l'ordre de border deux longs avirons qui aideraient à gagner contre le vent.

Il fallut trois heures pour parcourir dix kilomètres et atteindre le premier coude du fleuve, puis deux heures encore pour suivre la courbe que dessine le Danube avant d'adopter franchement la direction du Sud. Un peu en amont de Waitzen, on put enfin abandonner les avirons, et, sous la poussée de la voile, la marche du bateau fut notablement accélérée.

Vers onze heures on passa devant Saint-André où les deux charretiers Kaiserlick et Vogel avaient prétendu se rendre au cours de la nuit précédente. Il ne fut pas question de s'y arrêter, et le chaland continua à dériver vers Budapest, encore distante de vingt-cinq à trente kilomètres.

A mesure qu'on gagnait vers l'aval, l'aspect des rives devenait plus sévère.

Les îles ombreuses et verdoyantes se multipliaient, ne laissant parfois entre elles que d'étroits canaux, interdits aux chalands, mais suffisants pour la navigation de plaisance.

Dans cette partie du Danube, la batellerie commence à devenir assez active. Il y a même de fréquents encombrements, car le cours du fleuve est resserré entre les premières ramifications des Alpes Norriques et les dernières ondulations des Karpathes. Quelquefois se produisent des échouages ou des abordages, peu dommageables en somme, pour peu que l'attention des pilotes soit un seul instant en défaut. En général, le malheur se réduit à une perte de temps. Mais que de cris, que de querelles, au moment de la collision !

Le chaland, dont Striga était le capitaine, devait être compté parmi les mieux dirigés. De grande taille, puisque sa capacité dépassait deux cents tonnes, le pont proprement dit en était recouvert d'une sorte de superstructure, d'un spardeck, qui formait, à l'arrière, le toit du rouf habité par le personnel. Un mâtereau à l'avant servait à hisser le pavillon national, et, à la poupe, un gouvernail à large safran permettait au pilote de maintenir le bateau en bonne direction.

A mesure qu'on descendait le courant, l'animation du fleuve allait croissant, ainsi que cela se produit aux approches des grandes cités. Des embarcations légères, à vapeur ou à voiles, chargées de promeneurs ou de touristes, se glissaient entre les îles. Bientôt, dans le lointain, la fumée de cheminées d'usines empâta l'horizon, annonçant les faubourgs de Budapest.

A ce moment, il se produisit un fait singulier. Sur un signe de Striga, Titcha pénétra dans le rouf de l'arrière, avec un de ses compagnons de l'équipage.

Les deux hommes en ressortirent bientôt. Ils escortaient une femme d'une taille élancée, mais dont il était malaisé de voir les traits à demi cachés par un bâillon. Les mains liées derrière le dos, cette femme marchait entre ses deux gardiens, sans essayer d'une résistance dont l'expérience lui avait sans doute démontré l'inutilité. Docilement, elle descendit dans la cale par l'échelle du grand panneau, puis dans un compartiment du double fond dont la trappe fut refermée sur elle. Cela fait, Titcha et son compagnon reprirent leurs occupations, comme si de rien n'était.

Vers trois heures de l'après-midi, le chaland s'engagea entre les quais de la capitale de la Hongrie. A droite, c'était Buda, l'ancienne ville turque ; à gauche, Pest, la ville moderne. A cette époque, Buda était, plus qu'elle ne l'est restée de nos jours, une de ces vieilles et pittoresques cités que le progrès égalitaire tend à faire disparaître. Par contre, Pest, si son importance était déjà considérable, n'avait pas encore atteint le prodigieux développement qui a fait d'elle la plus importante et la plus belle métropole de l'Europe orientale.

Sur les deux rives, et notamment sur la rive gauche, se succédaient les maisons à arcades et à terrasses, que dominaient les clochers des églises dorés par les rayons du soleil, et la longue enfilade des quais ne manquait ni de noblesse ni de grandeur.

Le personnel du chaland n'accordait pas son attention à ce spectacle enchanteur. La traversée de Budapest pouvant ménager de désagréables surprises à des gens si sujets à caution, l'équipage n'avait d'yeux que pour le fleuve où se croisaient de nombreuses embarcations.

Ce prudent souci permit à Striga de distinguer en temps voulu, au milieu des autres, un bateau conduit par quatre hommes, qui se dirigeait en droite ligne vers le chaland. Ayant reconnu un canot de la police fluviale, il avertit d'un coup d'oeil Titcha, qui, sans autre explication, s'affala par le panneau dans la cale.

Striga ne s'était pas trompé. En quelques minutes, ce canot eut rallié la gabarre. Deux hommes montèrent à bord.

«Le patron ? demanda l'un des nouveaux arrivants.

—C'est moi, répondit Striga en faisant un pas en avant de ses compagnons.

—Votre nom ?

—Ivan Striga.

—Votre nationalité ?

—Bulgare.

—D'où vient cette gabarre ?

—De Vienne.

—Où va-t-elle ?

—A Galatz.

—Son propriétaire ?

—M. Constantinesco, de Galatz.

—Chargement ?

—Néant. Nous retournons à vide.

—Vos papiers ?

—Les voici, dit Striga, en offrant au questionneur les documents demandés.

—C'est bon, approuva celui-ci, qui les restitua après un examen consciencieux. Nous allons jeter un coup d'oeil dans votre cale.

—A votre aise, concéda Striga. Je vous ferai toutefois remarquer que c'est la quatrième visite que nous subissons depuis notre départ de Vienne. Ce n'est pas agréable.»

Le policier, déclinant du geste toute responsabilité personnelle dans les ordres dont il n'était que l'exécuteur, descendit sans répondre par le panneau. Arrivé au bas de l'échelle, il s'avança de quelques pas dans la cale dont son regard fit le tour, puis il remonta. Rien n'était venu l'avertir que sous ses pieds gisaient deux créatures humaines, un homme, d'un côté, une femme de l'autre, toutes deux réduites à l'impuissance et hors d'état de demander du secours. La visite ne pouvait être plus consciencieuse ni plus longue. Le chaland étant complètement vide, il n'y avait pas lieu de s'enquérir de la provenance de son chargement, ce qui simplifiait beaucoup les choses.

Le policier reparut donc au jour, et, sans poser d'autres questions, regagna son canot, qui s'éloigna vers de nouvelles perquisitions, tandis que la gabarre continuait lentement sa route vers l'aval.

Quand les dernières maisons de Budapest eurent été laissées en arrière, le moment parut venu de s'occuper de la prisonnière de la cale. Titcha et son compagnon disparurent dans l'intérieur, pour en ressortir bientôt, escortant cette même femme qui y avait été incarcérée quelques heures plus tôt, et qui fut réintégrée dans le rouf. Des autres hommes de l'équipage, nul ne sembla prêter la moindre attention à cet incident.

On ne fit halte qu'à la nuit, entre les bourgs d'Ercsin et d'Adony, à plus de trente kilomètres au-dessous de Budapest, et l'on repartit le lendemain dès l'aube. Au cours de cette journée du 31 août, la dérive fut interrompue par quelques arrêts, pendant lesquels Striga quitta le bord, en utilisant la barge, conquise, à ce qu'il pensait, sur Karl Dragoch.

Loin de se cacher, il accostait dans les villages, se présentait aux habitants comme étant ce fameux lauréat de la Ligue Danubienne, dont la renommée n'avait pu manquer de parvenir jusqu'à eux, et engageait des conversations qu'il aiguillait adroitement sur les sujets qui lui tenaient au coeur.

Très maigre fut sa récolte de renseignements. Le nom d'Ilia Brusch ne paraissait pas être populaire dans cette région. Sans doute, à Mohacs, Apatin, Neusatz, Semlin ou Belgrade, qui sont des villes importantes, il en serait autrement. Mais Striga n'avait pas l'intention de s'y risquer et il comptait bien se borner à prendre langue dans des villages, où la police exerçait nécessairement une surveillance moins effective. Par malheur, les paysans ignoraient généralement le concours de Sigmaringen et se montraient très rebelles aux interviews. D'ailleurs, ils ne savaient rien. Ils ignoraient Karl Dragoch plus encore qu'Ilia Brusch, et Striga déploya en vain tous les raffinements de sa diplomatie.

Ainsi que cela avait été convenu la veille, c'est pendant une des absences de Striga que Serge Ladko fut remonté au jour et transporté dans une petite cabine dont la porte fut soigneusement verrouillée. Précaution peut-être exagérée, tout mouvement étant interdit au prisonnier étroitement ligotté.

Les journées du 1er au 6 septembre s'écoulèrent paisiblement. Poussé à la fois par le courant et par un vent favorable, le chaland continuait à dériver, à raison d'une soixantaine de kilomètres par vingt-quatre heures. La distance parcourue aurait même été sensiblement plus grande sans les arrêts que rendaient nécessaires les absences de Striga.

Si les excursions de celui-ci étaient toujours aussi stériles au point de vue spécial des renseignements, une fois, du moins, il réussit, en utilisant ses talents professionnels, à les rendre profitables à d'autres égards.

Ceci se passait le 5 septembre. Ce jour-là, le chaland étant venu mouiller à la nuit en face d'un petit bourg du nom de Szuszek, Striga descendit à terre comme de coutume. La soirée était avancée. Les paysans, qui se couchent d'ordinaire avec le soleil, ayant pour la plupart réintégré leurs demeures, il déambulait solitairement, quand il avisa une maison d'apparence assez cossue, dont le propriétaire, plein de confiance dans la probité publique, avait laissé la porte ouverte, en s'absentant pour quelque course dans le voisinage.

Sans hésiter, Striga s'introduisit dans cette maison, qui se trouva être un magasin de détail, ainsi que l'existence d'un comptoir le lui démontra. Prendre dans le tiroir de ce comptoir la recette de la journée, cela ne demanda qu'un instant. Puis, non content de cette modeste rapine, il eut tôt fait de découvrir dans le corps inférieur d'un bahut, dont l'effraction ne fut qu'un jeu pour lui, un sac rondelet, qui rendit au toucher un son métallique de bon augure.

Ainsi nanti, Striga s'empressa de regagner son chaland, qui, l'aube venue, était déjà loin.

Telle fut la seule aventure du voyage.

A bord, Striga avait d'autres occupations. De temps à autre, il disparaissait dans le rouf, et s'introduisait dans une cabine située en face de celle où l'on avait déposé Serge Ladko. Parfois, sa visite ne durait que quelques minutes, parfois elle se prolongeait davantage. Il n'était pas rare, dans ce dernier cas, qu'on entendit jusque sur le pont l'écho d'une violente discussion, où l'on discernait une voix de femme répondant avec calme à un homme en fureur.

Le résultat était alors toujours le même : indifférence générale de l'équipage et sortie furibonde de Striga, qui s'empressait de quitter le bord pour calmer ses nerfs irrités.

C'est principalement sur la rive droite qu'il poursuivait ses investigations. Rares, en effet, sont les bourgs et les villages de la rive gauche au delà de laquelle s'étend à perte de vue l'immense puzsta..

Cette puzsta, c'est la plaine hongroise par excellence, que limitent, à près de cent lieues, les montagnes de la Transylvanie. Les lignes de chemins de fer qui la desservent traversent une infinie étendue de landes désertes, de vastes pâturages, de marais immenses où pullule le gibier aquatique. Cette puzsta, c'est la table toujours généreusement servie pour d'innombrables convives à quatre pattes, ces milliers et ces milliers de ruminants qui constituent l'une des principales richesses du royaume de Hongrie. A peine, s'il s'y rencontre quelques champs de blé ou de maïs.

La largeur du fleuve est devenue considérable alors, et de nombreux îlots ou îles en divisent le cours. Telles de ces dernières sont de grande étendue et laissent de chaque côté deux bras où le courant acquiert une certaine rapidité.

Ces îles ne sont point, fertiles. A leur surface ne poussent que des bouleaux, des trembles, des saules, au milieu du limon déposé par les inondations qui sont fréquentes. Cependant on y récolte du foin en abondance, et les barques, chargées jusqu'au plat bord, le charrient aux fermes ou aux bourgades de la rive.

Le 6 septembre, le chaland mouilla à la tombée de la nuit. Striga était absent à ce moment.

S'il n'avait voulu se risquer, ni à Neusatz, ni à Peterwardein qui lui fait face, l'importance relative de ces villes pouvant être une cause de dangers, il s'était du moins arrêté, afin d'y continuer son enquête, au bourg de Karlovitz, situé une vingtaine de kilomètres en aval. Sur son ordre, le chaland n'avait fait halte que deux ou trois lieues plus bas, pour attendre son capitaine, qui le rejoindrait en s'aidant du courant.

Vers neuf heures du soir, celui-ci n'en était plus fort éloigné. Il ne se pressait pas. Laissant fuir la barge au gré du courant, il s'abandonnait à des pensées en somme assez riantes. Son stratagème avait pleinement réussi. Personne ne l'avait suspecté et rien ne s'était opposé à ce qu'il se renseignât librement. A vrai dire, de renseignements, il n'en avait guère récolté. Mais cette ignorance publique, qui confinait à l'indifférence, était, en somme, un symptôme favorable. Bien certainement, dans cette région, on n'avait que très vaguement entendu parler de la bande du Danube, et l'on ignorait jusqu'à l'existence de Karl Dragoch, dont la disparition ne pouvait, par suite, causer d'émotion.

D'un autre côté, que ce fût à cause de la suppression de son chef ou en raison de la pauvreté de la région traversée, la vigilance de la police paraissait grandement diminuée. Depuis plusieurs jours, Striga n'avait aperçu personne qui eût la tournure d'un agent, et nul ne parlait de la surveillance fluviale si active deux ou trois cent kilomètres en amont.

Il y avait donc toutes chances pour que le chaland arrivât heureusement au terme de son voyage, c'est-à-dire à la mer Noire, où son chargement serait transporté à bord du vapeur accoutumé.

Demain, on serait au delà de Semlin et de Belgrade. Il suffirait ensuite de longer de préférence la rive serbe pour se mettre à l'abri de toute fâcheuse surprise. La Serbie devait être, en effet, plus ou moins désorganisée par la guerre qu'elle soutenait contre la Turquie et il n'y avait pas apparence que les autorités riveraines perdissent leur temps à s'occuper d'une gabarre descendant à vide le cours du fleuve.

Qui sait ? Ce serait peut-être le dernier voyage de Striga. Peut-être se retirerait-il au loin, après fortune faite, riche, considéré—et heureux, songeait-il, en pensant à la prisonnière enfermée dans la gabarre.

Il en était là de ses réflexions quand ses yeux tombèrent sur les coffres symétriques dont les couvercles avaient si longtemps servi de couchettes à Karl Dragoch et à son hôte, et tout à coup cette pensée lui vint que, depuis huit jours qu'il était maître de la barge, il n'avait pas songé à en explorer le contenu. Il était grand temps de réparer cet inconcevable oubli.

En premier lieu, il s'attaqua au coffre de tribord qu'il fractura en un tour de main. Il n'y trouva que des piles de linge et de vêtements rangés en bon ordre. Striga, qui n'avait que faire de cette défroque, referma le coffre et s'attaqua au suivant.

Le contenu de celui-ci n'était pas fort différent du précédent, et Striga désappointé allait y renoncer, quand il découvrit dans un des coins un objet plus intéressant. Si les articles d'habillement ne pouvaient rien lui apprendre, il n'en serait peut-être pas de même de ce gros portefeuille qui, selon toute vraisemblance, devait contenir des papiers. Or, les papiers ont beau être muets, rien n'égale, dans certains cas, leur éloquence.

Striga ouvrit ce portefeuille, et, conformément à son espoir, il s'en échappa de nombreux documents, dont il entreprit le patient examen.

Les quittances, les lettres défilèrent, toutes au nom d'Ilia Brusch, puis ses yeux, agrandis par la surprise, s'arrêtèrent sur le portrait qui, déjà, avait éveillé les soupçons de Karl Dragoch.

D'abord Striga ne comprit pas. Qu'il y eût dans cette barge des papiers au nom d'Ilia Brusch, et qu'il n'y en eût aucun au nom du policier, c'était déjà passablement étonnant. Toutefois, l'explication de cette anomalie pouvait être des plus naturelles. Peut-être Karl Dragoch, au lieu de doubler le lauréat de la Ligue Danubienne, comme Striga l'avait cru jusqu'ici, avait-il emprunté à l'amiable la personnalité du pêcheur, et peut-être, dans ce cas, avait-il conservé, d'un commun accord avec le véritable Ilia Brusch, les documents nécessaires pour justifier au besoin de son identité. Mais pourquoi ce nom de Ladko, ce nom dont, avec une habileté diabolique, Striga signait tous ses crimes ? Et que venait faire là ce portrait d'une femme, à laquelle celui-ci n'avait jamais renoncé malgré l'échec de ses précédentes tentatives ? Quel était donc le légitime propriétaire de cette barge pour avoir en sa possession un document si intime et si singulier ? A qui appartenait-elle en définitive, à Karl Dragoch, à Ilia Brusch ou à Serge Ladko, et lequel de ces trois hommes, dont deux l'intéressaient à un si haut point, tenait-il prisonnier en fin de compte dans le chaland ? Le dernier, il proclamait, cependant, l'avoir tué, le soir où, d'un coup de feu, il avait abattu l'un des deux hommes de ce canot qui s'éloignait furtivement de Roustchouk. Vraiment, s'il avait mal visé alors, il aimerait encore mieux, plutôt que le policier, tenir entre ses mains le pilote, qu'il ne manquerait pas une seconde fois, dans ce cas.

Celui-là, il ne serait pas question de le garder comme otage. Une pierre au cou ferait l'affaire, et, débarrassé ainsi d'un ennemi mortel, il supprimerait en même temps le principal obstacle à des projets dont il poursuivait âprement la réalisation.

Impatient d'être fixé, Striga, gardant par devers lui le portrait qu'il venait de découvrir, saisit la godille et pressa la marche de l'embarcation.

Bientôt la masse de la gabarre apparut dans la nuit. Il accosta rapidement, sauta sur le pont, et, se dirigeant vers la cabine faisant face à celle qu'il visitait d'ordinaire, introduisit la clef dans la serrure.

Moins avancé que son geôlier, Serge Ladko n'avait même pas le choix entre plusieurs explications de son aventure. Le mystère lui en paraissait toujours aussi impénétrable, et il avait renoncé à imaginer des conjectures sur les motifs que l'on pouvait avoir de le séquestrer.

Quand, après un fiévreux sommeil, il s'était réveillé au fond de son cachot, la première sensation qu'il éprouva fut celle de la faim. Plus de vingt-quatre heures s'étaient alors écoulées depuis son dernier repas, et la nature ne perd jamais ses droits, quelle que soit la violence de nos émotions.

Il patienta d'abord, puis, la sensation devenant de plus en plus impérieuse, il perdit le beau calme qui l'avait soutenu jusque-là. Allait-on le laisser mourir d'inanition ? Il appela. Personne ne répondit. Il appela plus fort. Même résultat. Il s'égosilla enfin en hurlements furieux, sans obtenir plus de succès.

Exaspéré, il s'efforça de briser ses liens. Mais ceux-ci étaient solides et c'est en vain qu'il se roula sur le parquet en tendant ses muscles à les rompre.

Dans un de ces mouvements convulsifs, son visage heurta un objet déposé près de lui.

Le besoin affine les sens. Serge Ladko reconnut immédiatement du pain et un morceau de lard qu'on avait sans doute mis là pendant son sommeil. Profiter de cette attention de ses geôliers n'était pas des plus faciles, dans la situation où il se trouvait. Mais la nécessité rend industrieux, et, après plusieurs essais infructueux, il réussit à se passer du secours de ses mains.

Sa faim satisfaite, les heures coulèrent lentes et monotones. Dans le silence, un murmure, un frissonnement, semblable à celui des feuilles agitées par une brise légère, venait frapper son oreille. Le bateau qui le portait était évidemment en marche et fendait, comme un coin, l'eau du fleuve.

Combien d'heures s'étaient-elles succédé, quand une trappe fut soulevée au-dessus de lui ? Suspendue au bout d'une ficelle, une ration semblable à celle qu'il avait découverte à son premier réveil, oscilla dans l'ouverture qu'éclairait une lumière incertaine et vint se poser à sa portée.

Des heures coulèrent encore, puis la trappe s'ouvrit de nouveau. Un homme descendit, s'approcha du corps inerte, et Serge Ladko, pour la seconde fois, sentit qu'on lui recouvrait la bouche d'un large bâillon. C'est donc qu'on avait peur de ses cris et qu'il passait à proximité d'un secours ? Sans doute, car, l'homme à peine remonté, le prisonnier entendit que l'on marchait sur le plafond de son cachot. Il voulut appeler ... aucun son ne sortit de ses lèvres ... Le bruit de pas cessa.

Le secours devait être déjà loin, quand, peu d'instants plus tard, on revint, sans plus d'explications, supprimer son bâillon. Si on lui permettait d'appeler, c'est que cela n'offrait plus de danger.

Dès lors, à quoi bon ?

Après le troisième repas, identique aux deux premiers, l'attente fut plus longue. C'était la nuit sans doute. Serge Ladko calculait que sa captivité remontait environ à quarante-huit heures, lorsque, par la trappe de nouveau ouverte, on insinua une échelle, à l'aide de laquelle quatre hommes descendirent au fond du cachot.

Ces quatre hommes, Serge Ladko n'eut pas le temps de distinguer leurs traits. Rapidement, un bâillon était encore appliqué sur sa bouche, un bandeau sur ses yeux, et, redevenu colis aveugle et muet, il était comme la première fois transporté de mains en mains.

Aux heurts qu'il subit, il reconnut l'ouverture étroite—la trappe, il le comprenait —qu'il avait déjà franchie et qu'il franchissait maintenant en sens inverse. L'échelle qui avait meurtri ses reins pendant la descente, les meurtrit également, tandis qu'on le remontait. Un bref trajet horizontal suivit, puis, brutalement jeté sur le parquet, il sentit qu'on lui enlevait comme auparavant bandeau et bâillon. Il ouvrait à peine les yeux, qu'une porte se refermait avec bruit.

Serge Ladko regarda autour de lui. S'il n'avait fait que changer de prison, celle-ci était infiniment supérieure à la précédente. Par une petite fenêtre, le jour entrait à flots, lui permettant d'apercevoir, déposée auprès de lui, sa pitance ordinaire qu'il avait été contraint jusqu'ici de chercher à tâtons. La lumière du soleil lui rendait le courage et sa situation lui apparaissait moins désespérée. Derrière cette fenêtre, c'était la liberté. Il s'agissait de la conquérir.

Longtemps il désespéra d'en trouver le moyen, quand enfin, en parcourant pour la millième fois du regard la cabine exiguë qui lui servait de prison, il découvrit, appliquée contre la paroi, une sorte de ferrure plate qui, sortie du plancher et s'élevant verticalement jusqu'au plafond, servait probablement à relier entre eux les madriers du bordé.

Cette ferrure formait saillie, et, bien qu'elle ne présentât aucun angle tranchant, il n'était peut-être pas impossible de s'en servir pour user ses liens, sinon pour les couper. Difficile à coup sûr, l'entreprise méritait tout au moins d'être tentée.

Ayant réussi avec beaucoup de peine à ramper jusqu'à ce morceau de fer, Serge Ladko commença aussitôt à limer contre lui la corde qui retenait ses mains. L'immobilité presque totale que ses entraves lui imposaient rendait ce travail extrêmement pénible, et le va-et-vient des bras, ne pouvant être obtenu que par une série de contractions de tout le corps, restait forcément contenu dans d'étroites limites.

Outre que la besogne avançait lentement ainsi, elle était en même temps véritablement exténuante, et, toutes les cinq minutes, le pilote était contraint de prendre du repos. Deux fois par jour, aux heures des repas, il lui fallait s'interrompre. C'était toujours le même geôlier qui venait lui apporter sa nourriture et, bien que celui-ci dissimulât son visage sous un masque de toile, Serge Ladko le reconnaissait sans hésitation à ses cheveux gris et à la remarquable largeur de ses épaules. D'ailleurs, bien qu'il n'en pût discerner les traits, l'aspect de cet homme lui donnait l'impression de quelque chose de déjà vu. Sans qu'il lui fût possible de rien préciser, cette carrure puissante, cette démarche lourde, ces cheveux grisonnants que l'on distinguait au-dessus du masque de toile, ne lui semblaient pas inconnus.

Les rations lui étaient servies à heure fixe, et jamais, hors de ces instants, on ne pénétrait dans sa prison. Rien n'en aurait même troublé le silence, si, de temps à autre, il n'avait entendu une porte s'ouvrir en face de la sienne.

Presque toujours, le bruit de deux voix, celle d'un homme et celle d'une femme, parvenait ensuite jusqu'à lui. Serge Ladko tendait alors l'oreille, et, interrompant son patient travail, il cherchait à mieux discerner ces voix qui remuaient en lui des sensations vagues et profondes.

En dehors de ces incidents, le prisonnier mangeait d'abord, dès le départ de son geôlier, puis il se remettait obstinément à l'oeuvre.

Cinq jours s'étaient écoulés depuis qu'il l'avait commencée, et il en était encore à se demander s'il faisait ou non quelques progrès, quand, à la tombée de la nuit, le soir du 6 septembre, le lien qui encerclait ses poignets se brisa tout à coup.

Le pilote dut refouler le cri de joie qui allait lui échapper. On ouvrait sa porte. Le même homme que chaque jour entrait dans sa cellule et déposait près de lui le repas habituel.

Dès qu'il se retrouva seul, Serge Ladko voulut mouvoir ses membres libérés. Il lui fut d'abord impossible d'y parvenir. Immobilisés pendant toute une longue semaine, ses mains et ses bras étaient comme frappés de paralysie. Peu à peu, cependant, le mouvement leur revint et augmenta graduellement d'amplitude. Après une heure d'efforts, il put exécuter des gestes encore maladroits et délivrer ses jambes à leur tour.

Il était libre. Du moins il avait fait le premier pas vers la liberté. Le second, ce serait de franchir cette fenêtre qu'il était en son pouvoir d'atteindre maintenant, et par laquelle il apercevait l'eau du Danube, sinon la rive invisible dans l'obscurité. Les circonstances étaient favorables. Il faisait dehors un noir d'encre.

Bien malin qui le rattraperait par cette nuit sans lune, où l'on ne voyait rien à dix pas. D'ailleurs, on ne reviendrait plus dans sa cellule que le lendemain. Quand on s'apercevrait de son évasion, il serait loin.

Une grave difficulté, plus qu'une difficulté, une impossibilité matérielle l'arrêta à la première tentative. Assez large pour un adolescent souple et svelte, la fenêtre était trop étroite pour livrer passage à un homme dans la force de l'âge et doué d'une aussi respectable carrure que Serge Ladko. Celui-ci, après s'être épuisé en vain, dut reconnaître que l'obstacle était infranchissable et se laissa retomber tout haletant dans sa prison.

Etait-il donc condamné à n'en plus sortir ? Un long moment, il contempla le carré de nuit dessiné par l'implacable fenêtre, puis, décidé à de nouveaux efforts, il se dépouilla de ses vêtements et, d'un élan furieux, se lança dans l'ouverture béante, résolu à la franchir coûte que coûte.

Son sang coula, ses os craquèrent, mais une épaule d'abord, un bras ensuite passèrent, et le montant de la fenêtre vint buter contre sa hanche gauche. Malheureusement l'épaule droite avait buté, elle aussi, de telle sorte que tout effort supplémentaire serait évidemment inutile.

Une partie du corps à l'air libre et surplombant le courant, l'autre partie demeurée prisonnière, ses côtes écrasées par la pression, Serge Ladko ne tarda pas à trouver la position intenable. Puisque s'enfuir ainsi était impraticable, il fallait aviser à d'autres moyens. Peut-être, pourrait-il arracher l'un des montants de la fenêtre et agrandir ainsi l'infranchissable ouverture.

Mais, pour cela, il était nécessaire de réintégrer la prison, et Ladko fut obligé de reconnaître l'impossibilité de ce retour en arrière.

Il ne lui était permis ni d'avancer, ni de reculer, et, à moins d'appeler à son aide, il était irrémédiablement condamné à rester dans sa cruelle position.

C'est en vain qu'il se débattit. Tout fut inutile. Il s'était lui-même pris au piège par la violence de son élan.

Serge Ladko reprenait haleine, quand un bruit insolite le fit tressaillir. Un nouveau danger se révélait, menaçant. Fait qui ne s'était jamais produit à pareille heure depuis qu'il occupait cette prison, on s'arrêtait à sa porte, une clef cherchait en tâtonnant le trou de la serrure, s'y introduisait enfin...

Soulevé par le désespoir, le pilote raidit tous ses muscles dans un effort surhumain...

Au dehors, cependant, la clef tournait dans la serrure... entraînait le pène avec elle ... lui faisait faire un premier pas hors de la gâche...

XII - AU NOM DE LA LOI.

Striga, la porte ouverte, s'arrêta hésitant sur le seuil. Une obscurité profonde emplissait la cellule. Il ne distinguait rien, si ce n'est un carré d'ombre plus claire vaguement découpé par l'ouverture de la fenêtre. Dans un coin, quelque part, gisait le prisonnier. On ne pouvait l'apercevoir.

«Titcha ! appela Striga d'une voix impatiente, de la lumière !»

Titcha s'empressa d'apporter une lanterne dont la tremblante lueur, soudainement projetée, parut illuminer la pièce. Les deux hommes, l'ayant parcourue d'un rapide coup d'oeil, échangèrent un regard troublé. La cabine était vide. Sur le parquet, des liens rompus, des vêtements jetés à la volée : du prisonnier, nulle autre trace.

«M'expliqueras-tu ?... commença Striga.

Avant de répondre, Titcha alla jusqu'à la fenêtre, et passa le doigt sur l'un des montants.

—Envolé, dit-il, en montrant son doigt rouge.

—Envolé !... répéta Striga, qui proféra un juron.

—Mais pas depuis longtemps, continua Titcha. Le sang est encore frais. D'ailleurs, il n'y a pas plus de deux heures que je lui ai apporté sa ration.

—Et tu n'as rien vu d'anormal à ce moment ?

—Absolument rien. Je l'ai laissé ficelé comme un saucisson.

—Imbécile ! gronda Striga !

Titcha, ouvrant les bras, exprima clairement par ce geste qu'il ignorait comment l'évasion avait pu s'accomplir et qu'il en déclinait, dans tous les cas, la responsabilité. Striga n'accepta pas cette commode défaite.

—Oui, imbécile, répéta-t-il d'une voix furieuse en arrachant des mains de son compagnon la lanterne qu'il promena sur le pourtour de la cabine.

Il fallait visiter ton prisonnier et ne pas te fier aux apparences... Tiens ! regarde ce morceau de fer poli par le frottement. C'est là qu'il a usé la corde qui retenait ses mains... Il a dû y mettre des jours et des jours... Et tu ne t'es aperçu de rien !... On n'est pas stupide à ce point-là !

—Ah ça, mais, quand tu auras fini !... répliqua Titcha qui sentait la colère le gagner à son tour. Est-ce que tu me prends pour ton chien ?... Après tout, puisque tu tenais tant à boucler le Dragoch, il fallait le garder toi-même.

—J'aurais mieux fait, approuva Striga. Mais, d'abord, est-ce bien Dragoch que nous tenions ?

—Qui veux-tu que ce soit ?

—Le sais-je ?... Je suis en droit de m'attendre à tout, en voyant la manière dont tu t'acquittes d'une mission. L'as-tu reconnu, quand tu l'as pris ?

—Je ne peux pas dire que je l'aie reconnu, confessa Titcha, vu qu'il tournait le dos...

—Là !..

—Mais j'ai parfaitement reconnu le bateau. C'est bien celui que tu m'as montré à Vienne. Ça, par exemple, j'en suis sûr.

—Le bateau !.. Le bateau !.. Enfin, comment était-il, ton prisonnier ? Etait-il grand ?

Serge Ladko et Ivan Striga avaient en réalité une taille sensiblement égale. Mais un homme couché paraît, on ne l'ignore pas, beaucoup plus grand qu'un homme debout, et Titcha n'avait guère vu le pilote qu'étendu sur le parquet de sa prison. C'est donc de la meilleure foi du monde qu'il répondit :

—La tête de plus que toi.

—Ce n'est pas Dragoch !... murmura Striga, qui se savait d'une stature plus élevée que le détective.

Il réfléchit quelques instants, puis demanda :

—Le prisonnier ressemblait-il à quelqu'un de ta connaissance ?

—De ma connaissance ? protesta Titcha. Jamais de la vie !

—. Par exemple, il ne ressemblerait pas... à Ladko ?

—En voilà une idée ! s'écria Titcha. Pourquoi diable veux-tu que Dragoch ressemble à Ladko ?

—Et si notre prisonnier n'était pas Dragoch ?

—Il ne serait pas davantage Ladko, que je connais assez, parbleu, pour ne pas m'y tromper.

—Réponds toujours à ma question, insista Striga. Lui ressemblait-il ?

—Tu rêves, protesta Titcha. D'abord, le prisonnier n'avait pas de barbe, et Ladko en a.

—Ça se coupe, la barbe, fit observer Striga.

—Je ne dis pas non... Et puis, le prisonnier avait des lunettes.

Striga haussa les épaules.

—Etait-il brun ou blond ? demanda-t-il.

—Brun, répondit Titcha avec conviction.

—Tu en es sûr ?

—Sûr.

—Ce n'est pas Ladko !.. murmura de nouveau Striga. Ce serait donc Ilia Brusch..

—Quel Ilia Brusch ?

—Le pêcheur.

—Bah !.. fit Titcha abasourdi. Mais alors, si le prisonnier n'était ni Ladko, ni Karl Dragoch, peu importe qu'il ait pris la clef des champs.

Striga, sans répondre, s'approcha à son tour de la fenêtre.

Après avoir examiné les traces de sang, il se pencha au dehors et s'efforça vainement de percer les ténèbres.

—Depuis combien de temps est-il parti ?., se demandait-il à demi-voix.

—Pas plus de deux heures, dit Titcha.

—S'il court depuis deux heures, il doit être loin ! s'écria Striga, qui maîtrisait, avec peine sa colère.

Après un instant de réflexion, il ajouta :

—Rien à faire pour le moment. La nuit est trop noire. Puisque l'oiseau est envolé, bon voyage. Quant à nous, nous nous mettrons en route un peu avant l'aube, de manière à être le plus tôt possible au delà de Belgrade.»

Il resta un instant songeur, puis, sans rien ajouter, il quitta la cabine pour entrer dans celle qui lui faisait face. Titcha prêta l'oreille. D'abord, il n'entendit rien ; mais bientôt, à travers la porte fermée, arrivèrent jusqu'à lui des éclats de voix dont le diapason montait progressivement. Haussant les épaules avec dédain, Titcha s'éloigna et regagna son lit.

C'est à tort que Striga avait jugé inutile de se livrer à des recherches immédiates. Ces recherches n'eussent peut-être pas été vaines, car le fugitif n'était pas loin.

En entendant le bruit de la clef tournant dans la serrure, Serge Ladko, d'un effort désespéré, avait vaincu l'obstacle. Sous la violente traction des muscles, l'épaule d'abord, la hanche ensuite s'étaient effacées, et il avait glissé comme une flèche hors de la fenêtre trop étroite, pour tomber, la tête la première, dans l'eau du Danube, qui s'était ouverte et refermée sans bruit.

Quand, après une courte immersion, il revint à la surface, le courant l'avait déjà emporté à quelque distance de l'endroit de sa chute. Un instant plus tard, il dépassait l'arrière du chaland, évité la proue vers l'amont. Devant lui la route était libre.

Il n'avait pas à hésiter. Le seul parti à prendre était de se laisser dériver quelque temps encore. Une fois hors d'atteinte, il nagerait vigoureusement vers l'une des rives. Il y arriverait, il est vrai, dans un état de nudité qui pouvait être une source de grandes difficultés ultérieures, mais il n'avait pas le choix. Le plus pressé était de s'éloigner de la prison flottante où il venait de passer de si pénibles jours. Quand il aurait pris terre, il aviserait.

Tout à coup, dans la nuit, la masse sombre d'une seconde embarcation se dressa devant lui. Quelle ne fut pas son émotion, en reconnaissant sa barge retenue par une bosse amarrée au chaland et que tendait la poussée du courant. Il se cramponna instinctivement au gouvernail, et, un instant, demeura immobile.

Dans la paix nocturne, un bruit de voix parvenait jusqu'à lui. Sans doute, on discutait les circonstances de sa fuite. Il attendit, la tête seule hors de l'eau noire qui le couvrait de son impénétrable voile.

Les voix grandirent, puis se turent, et tout retomba dans le silence. Serge Ladko, s'accrochant au plat bord, se hissa lentement dans la barge et disparut sous le tôt. Là, l'oreille tendue, il écouta de nouveau.. Il n'entendit rien. Plus aucun bruit autour de lui.

Sous le tôt, l'obscurité de la nuit se faisait plus épaisse encore. Dans l'impossibilité de rien distinguer, Serge Ladko tâtonna comme un aveugle pour reconnaître les objets familiers.

Il ne semblait pas que l'on eût rien touché. Là étaient ses instruments de pêche ; à ce clou pendait encore le bonnet de loutre qu'il y avait lui-même accroché. A droite, c'était sa couchette ; à gauche, celle où M. Jaeger avait si longtemps dormi... Mais pourquoi étaient-ils ouverts, les coffres ménagés au-dessous de ces couchettes ? On les avait donc forcés ?.. Invisibles dans l'ombre, ses mains hésitantes firent l'inventaire de ses modestes richesses... Non, on ne lui avait rien pris. Linge et vêtements paraissaient en on ordre, comme il les avait laissés... Jusqu'à son couteau qu'il retrouva à la place même où il l'avait rangé. Ce couteau, Serge Ladko l'ouvrit, puis, rampant sur le ventre dans le fond de la barge, il s'avança vers l'étrave.

Quel voyage ! L'oreille aux aguets, les yeux vainement ouverts dans les ténèbres, s'arrêtant, la respiration coupée, au moindre clapotis de l'eau, il lui fallut dix minutes pour arriver au but. Enfin, sa main put saisir la bosse, qu'il trancha d'un seul coup.

La corde coupée fouetta l'eau à grand bruit. Ladko, le coeur battant, retomba dans la barge. Impossible qu'on n'ait pas entendu la chute de cette corde, dans un silence si profond...

Non... rien ne bougeait... Le pilote, peu à peu redressé, comprit qu'il était déjà foin de ses ennemis. A peine libre, en effet, la barge avait commencé à dériver, et il n'avait fallu qu'un instant pour qu'entre elle et le chaland s'élevât le mur inexpugnable de la nuit.

Quand il s'estima assez loin pour n'avoir plus rien à craindre, Serge Ladko arma un aviron, et quelques coups de godille augmentèrent rapidement la distance.

Alors seulement, il s'aperçut qu'il grelottait et s'occupa de se couvrir. Décidément, on n'avait pas touché au contenu de ses coffres, où il trouva sans peine le linge et les vêtements nécessaires. Cela fait, il saisit de nouveau l'aviron et se remit à godiller avec rage.

Où était-il ? Il n'en avait aucune idée. Rien ne pouvait le renseigner sur le parcours effectué par le chaland dans lequel il avait été incarcéré. Sa prison flottante avait-elle monté ou descendu le fleuve, il l'ignorait.

En tous cas, c'est dans le sens du courant qu'il devait maintenant se diriger, puisque c'est dans cette direction qu'étaient Roustchouk et Natcha. Si on l'avait ramené en arrière, ce serait du temps à regagner à grands renforts de bras, voilà tout. Pour le moment, il commencerait par naviguer toute la nuit, de manière à s'éloigner le plus possible de ses ennemis inconnus. Il pouvait compter sur environ sept heures d'obscurité. En sept heures, on fait du chemin. Le jour venu, il s'arrêterait, pour prendre du repos, dans la première ville rencontrée.

Serge Ladko godillait vigoureusement depuis une vingtaine de minutes, quand un cri affaibli par la distance s'éleva dans la nuit. Ce qu'il exprimait, joie, colère ou terreur, trop vague était ce cri lointain pour que l'on pût le dire. Et pourtant, si vague qu'elle fût, cette voix, qui lui arrivait des confins de l'horizon, emplit d'un trouble obscur le coeur du pilote. Où avait-il entendu une voix semblable ?.. Un peu plus, il eût juré que c'était celle de Natcha... Il avait cessé de godiller, l'oreille tendue aux sourdes rumeurs de la nuit.

Le cri ne se renouvela pas.

L'espace était redevenu muet autour de la barge que le courant entraînait en silence. Natcha !..

Il n'avait que ce nom-là en tête... Serge Ladko, d'un mouvement d'épaules, rejeta cette obsession, cette idée fixe et se remit au travail.

Le temps passa. Il pouvait être minuit, quand, sur la rive droite, se dessinèrent confusément des maisons. Ce n'était qu'un village, Szlankament, que Ladko laissa en arrière sans l'avoir reconnu.

Quelques heures plus tard, au moment du lever de l'aube, un autre bourg, Nove Banoveze, apparut à son tour. Il ne le reconnut pas davantage et le dépassa pareillement.

Puis les rives redevinrent désertes, tandis que le jour se levait.

Dès que la lumière fut suffisante, Serge Ladko s'empressa de réparer les dégâts causés à son déguisement par une si longue captivité. En quelques minutes, ses cheveux redevinrent noirs de leur racine à leur pointe, un coup de rasoir fit tomber la barbe naissante et ses lunettes faussées furent remplacées par des neuves. Cela fait, il se remit à godiller avec le même inlassable courage.

De temps à autre, il jetait un coup d'oeil en arrière, sans rien apercevoir de suspect. Les ennemis étaient loin, décidément.

Libérant son esprit de ses préoccupations les plus immédiates, le sentiment de sa sécurité reconquise lui permettait de songer de nouveau à l'étrangeté de sa situation. Quels étaient ces ennemis qui le contraignaient à fuir ? Que lui voulaient-ils ? Pourquoi l'avaient-ils tenu durant tant de jours en leur pouvoir ? Autant de questions auxquelles il était dans l'impossibilité de répondre.

Quels que fussent ces ennemis, il fallait, en tous cas, se défier d'eux à l'avenir, et ce souci allait fâcheusement compliquer son voyage, à moins qu'il ne prît le parti de réclamer, malgré les dangers d'une telle démarche, la protection de la police contre ses ravisseurs inconnus, à la première ville qu'il traverserait.

Cette ville, quelle serait-elle ? Cela non plus, il ne le savait pas, et rien n'était de nature à le renseigner, sur ces rives désertes où, séparés par de longs espaces, s'égrenaient de rares et pauvres hameaux.

Ce fut seulement vers huit heures du matin, que, toujours sur la rive droite, de hauts clochers piquèrent le ciel, tandis que, devant la barge, une autre ville plus lointaine montait à l'horizon. Serge Ladko eut un sursaut de joie. Ces villes, il les connaissait bien. L'une, la plus proche, c'était Semlin, dernière cité danubienne de l'empire austro-hongrois ; l'autre, juste en face de lui, c'était Belgrade, la capitale serbe, située également sur la rive droite, après un coude brusque du fleuve, au confluent de la Save.

Ainsi donc, pendant son incarcération, il avait continué à descendre le courant, sa prison flottante l'avait rapproché du but, et, sans même s'en rendre compte, il avait franchi plus de cinq cents kilomètres.

Pour l'instant, Semlin, c'était le salut. Autant que besoin serait, il y trouverait aide et protection. Mais se résoudrait-il à demander du secours ? S'il se plaignait, s'il racontait son inexplicable aventure, n'allait-on pas ouvrir une enquête, dont il serait la première victime?

Peut-être voudrait-on savoir qui il était, d'où il venait, où il se rendait, et peut-être parviendrait-on à découvrir le nom qu'il s'était juré de ne jamais révéler, quoi qu'il arrivât.

Remettant à prendre un parti à ce sujet, Serge Ladko activa la marche de son embarcation.

La demie de huit heures sonnait aux horloges de la ville comme il fixait son amarre à un anneau du quai. Il procéda ensuite à quelques rapides rangements, puis examina de nouveau ce problème : parler ou se taire. Finalement il se décida pour l'abstention. Tout bien considéré, mieux valait garderie silence, aller chercher sous le tôt un repos bien gagné, et s'éloigner inaperçu de Semlin comme il y était arrivé.

A ce moment, quatre hommes parurent sur le quai et s'arrêtèrent en face de la barge. Ces hommes sautèrent à bord, et l'un d'eux, s'approchant de Serge Ladko, qui le regardait faire avec étonnement, demanda :

«Vous êtes bien le nommé Ilia Brusch ?

—Oui, répondit le pilote, en fixant sur le questionneur un regard inquiet.

Celui-ci entr'ouvrit son vêtement, afin de montrer une écharpe aux couleurs hongroises, qui lui enserrait la taille.

—Au nom de la loi, je vous arrête,» dit-il en touchant le pilote à l'épaule.

XIII - UNE COMMISSION ROGATOIRE.

Karl Dragoch n'avait pas souvenir de s'être occupé, dans tout le cours de sa carrière, d'une affaire aussi fertile en incidents inattendus et ayant autant le caractère du mystère que cette affaire de la bande du Danube. L'incroyable mobilité de l'insaisissable bande, son ubiquité, la soudaineté de ses coups, avaient déjà quelque chose d'insolite. Et voici que son chef, à peine dépisté, devenait introuvable, et semblait se rire des mandats d'amener lancés contre lui dans toutes les directions !

Tout d'abord, on eût été fondé à croire qu'il s'était évaporé. De lui, aucune trace, ni en amont, ni en aval. La police de Budapest, notamment, malgré une surveillance incessante, n'avait rien signalé qui lui ressemblât. Il fallait bien qu'il fût passé à Budapest, cependant, puisque, dès le 31 août, il était vu à Duna Földvar, soit près de quatre-vingt-dix kilomètres plus bas que la capitale de la Hongrie. Ignorant que le rôle du pêcheur fût joué à ce moment par Ivan Striga, à qui le chaland assurait un refuge, Karl Dragoch n'y pouvait rien comprendre.

Les jours suivants, c'est à Szekszard, à Vukovar, à Cserevics, à Karlovitz enfin que l'on signalait sa présence. Ilia Brusch ne se cachait pas. Loin de là, il disait son nom à qui voulait l'entendre, et parfois même vendait quelques livres de poissons. D'aucuns, il est vrai, prétendaient aussi l'avoir surpris au moment où il en achetait, ce qui ne laissait pas d'être assez singulier.

Le soi-disant pêcheur faisait preuve en tous cas d'une infernale habileté. La police, aussitôt prévenue de son apparition, avait beau faire diligence, elle arrivait toujours trop tard. C'est en vain qu'elle sillonnait ensuite le fleuve en tous sens, elle n'y découvrait pas le plus petit vestige de la barge qui semblait littéralement volatilisée.

Karl Dragoch se désespérait en apprenant les échecs successifs de ses sous-ordres. Le gibier allait-il décidément lui glisser entre les mains ?

Toutefois, deux choses étaient certaines. La première, c'est que le prétendu lauréat continuait à descendre le fleuve. La seconde, c'est qu'il semblait fuir les villes, dont, sans doute, il redoutait la police.

Karl Dragoch fit donc redoubler de surveillance à toutes les cités de quelque importance situées en aval de Budapest, telles que Mohacs, Apatin et Neusatz, et lui-même établit son quartier général à Semlin. Ces villes constituaient ainsi autant de barrages élevés sur la route du fugitif.

Malheureusement, il paraissait bien que celui-ci ne fît que rire de la série d'obstacles accumulés devant lui. De même qu'on avait appris son passage en aval de Budapest, sa présence fut constatée, mais toujours trop tard, en aval de Mohacs, d'Apatin et de Neusatz. Dragoch, transporté de colère et comprenant qu'il jouait sa dernière carte, réunit alors une véritable flottille. Sur son ordre, plus de trente embarcations croisèrent nuit et jour au-dessous de Semlin. Bien adroit serait l'adversaire s'il parvenait à franchir leur ligne serrée.

Pour remarquables qu'elles fussent, ces dispositions n'auraient eu cependant aucun succès, si Serge Ladko fût resté prisonnier dans la gabarre de Striga. Heureusement pour le repos de Dragoch, il ne devait pas en être ainsi.

La journée du 6 septembre s'était écoulée dans ces conditions, sans que rien de nouveau fût survenu, et Dragoch, dès les premières heures du 7, se disposait à rejoindre sa flottille, quand il vit un agent accourir à sa rencontre. Son homme, enfin arrêté, venait d'être incarcéré dans la prison de Semlin.

Il se hâta de se rendre au parquet.

L'agent avait dit vrai. Le trop célèbre Ladko était bien réellement sous les verrous.

La nouvelle se répandit avec la rapidité de l'éclair et mit la ville en rumeur. On ne causait pas d'autre chose, et, sur le quai, des groupes compacts stationnèrent toute la journée devant la barge du fameux malfaiteur.

Ces groupes ne purent manquer d'attirer l'attention d'une gabarre qui, vers trois heures de l'après-midi, passa au large de Semlin. Cette gabarre qui descendait innocemment le fleuve, c'était celle de Striga.

«Qu'y a-t-il donc à Semlin ? dit celui-ci à son fidèle Titcha, en remarquant l'animation des quais. Serait-ce une émeute ?

Il s'aida d'une jumelle, qu'il écarta de ses yeux après un rapide examen.

—Le diable m'emporte, Titcha, s'écria-t-il, si ce n'est pas l'embarcation de notre particulier !

—Tu crois ?... fit Titcha en s'emparant de la jumelle.

—Il faut que j'en aie le coeur net, déclara Striga qui paraissait en proie à une vive agitation. Je vais à terre.

—Pour te faire pincer. C'est malin !... Si cette embarcation est celle de Dragoch, c'est que Dragoch est à Semlin. C'est se jeter dans la gueule du loup.

—Tu as raison, approuva Striga, qui disparut dans le rouf. Mais nous allons prendre nos précautions.»

Un quart d'heure plus tard, il revenait «camouflé» de main de maître, si l'on veut bien nous permettre cette expression empruntée à l'argot commun aux malfaiteurs et aux gens de police. Sa barbe coupée et remplacée par des favoris postiches, ses cheveux dissimulés sous une perruque, un large bandeau recouvrant l'un de ses yeux, il s'appuyait péniblement sur une canne, comme un homme qui sortirait à peine d'une grave maladie.

«Et maintenant ?... demanda-t-il, non sans quelque vanité.
—Merveilleux ! admira Titcha.

—Ecoute, reprit Striga. Tandis que je serai à Semlin, vous continuerez votre route. Deux ou trois lieues au delà de Belgrade, vous mouillerez et vous attendrez mon retour.

—Comment feras-tu pour nous rejoindre ?

—Ne t'inquiète pas de ça, et dis à Ogul de me conduire dans le bachot.»

Pendant ce temps, le chaland avait laissé Semlin en arrière. Ayant pris terre assez loin de la ville, Striga revint à grands pas vers les maisons. Dès qu'il les eut atteintes, il modéra son allure, et, se mêlant aux groupes qui stationnaient au bord du fleuve, il recueillit avidement les propos échangés autour de lui.

Il ne s'attendait guère à ce que ces propos lui apprirent. Personne, dans ces groupes animés, ne parlait de Dragoch. On ne s'entretenait pas davantage d'Ilia Brusch. Il n'était question que de Ladko. De quel Ladko ? Non pas du pilote de Roustchouk, dont le nom avait été utilisé par Striga de la manière qu'on sait, mais précisément de ce Ladko imaginaire qu'il avait ainsi créé de toutes pièces, du Ladko malfaiteur, du Ladko pirate, c'est-à-dire de lui-même, Striga. C'est sa propre arrestation qui formait le sujet de la conversation générale.

Il ne parvenait pas à comprendre. Que la police commit une erreur et arrêtât un innocent au lieu et place du coupable, il n'y avait à cela rien de bien surprenant. Mais quel rapport avait cette erreur, dont il pouvait mieux que personne certifier la réalité, avec la présence de ce bateau, que son chaland, la veille encore, avait à la traîne ?

On estimera, sans doute, qu'il faisait preuve de faiblesse en accordant quelque intérêt à ce côté de la question.

L'essentiel, c'était qu'un autre fût poursuivi à sa place. Pendant qu'on suspecterait celui-là, on ne songerait pas à s'occuper de lui. C'était le point important. Le reste ne comptait pas.

Rien n'eût été plus vrai, s'il n'avait eu des motifs particuliers de vouloir être renseigné à cet égard. A en juger d'après les apparences, tout portait à croire que l'homme incarcéré et le maître de la barge ne faisaient qu'un. Quel était cet inconnu, qui, après avoir été, huit jours durant, prisonnier à bord du chaland, en remplaçait si complaisamment le propriétaire entre les griffes de la police ? Striga, certes, ne quitterait pas Semlin avant d'être fixé sur ce point.

Il lui fallut s'armer de patience. M. Izar Rona, juge chargé de cette affaire, ne paraissait pas disposé à mener rondement l'instruction. Trois jours s'écoulèrent sans qu'il donnât signe de vie. Cette attente préalable faisait partie de sa méthode. D'après lui, il est excellent de laisser tout d'abord un accusé aux prises avec la solitude. L'isolement est un grand destructeur de force nerveuse, et quelques jours de secret dépriment merveilleusement l'adversaire que le juge va trouver en face de lui.

M. Izar Rona, quarante-huit heures après l'arrestation, exprimait ces idées à Karl Dragoch venu aux informations. Le détective ne pouvait que donner aux théories de son chef une approbation hiérarchique.

«Enfin, monsieur le Juge, se risqua-t-il à demander, quand comptez-vous procéder au premier interrogatoire ?

—Demain.

—Je viendrai donc demain soir en apprendre le résultat. Inutile de vous répéter, je pense, sur quoi se fondent les présomptions ?

—Inutile, affirma M. Rona. J'ai nos conversations antérieures présentes à l'esprit, et, d'ailleurs, mes notes sont très complètes.

—Vous me permettrez toutefois de vous rappeler, monsieur le Juge, le désir que j'ai pris la liberté de vous exprimer ?

—Quel désir ?

—Celui de ne pas paraître dans cette affaire, au moins jusqu'à nouvel ordre. Ainsi que je vous l'ai exposé, l'inculpé ne me connaît que sous le nom de Jaeger. Cela peut éventuellement nous servir. Evidemment, lorsque nous serons devant la Cour, il me faudra décliner mon nom véritable. Mais nous n'en sommes pas là, et il me paraît préférable, pour la recherche des complices, de ne pas me brûler avant l'heure...

—C'est entendu,» promit le juge.

Dans la cellule où on l'avait enfermé, Serge Ladko attendait qu'on voulût bien s'occuper de lui. Suivant de si près sa précédente aventure, ce nouveau malheur, aussi inexplicable pour lui que l'autre, n'avait pas abattu son courage. Sans tenter la moindre résistance au moment de son arrestation, il s'était laissé conduire à la prison, après avoir vainement formulé une question restée sans réponse. Que risquait-il, d'ailleurs ? Cette arrestation résultait nécessairement d'une erreur qui serait dissipée dès qu'on l'interrogerait.

Par malheur, le premier interrogatoire se faisait singulièrement attendre. Serge Ladko, maintenu au secret le plus rigoureux, demeurait seul, jour et nuit, dans sa cellule, où, de temps à autre, un gardien venait jeter un furtif coup d'oeil par un judas percé dans la porte. Ce gardien espérait-il, obéissant aux ordres de M. Izar Rona, constater les résultats progressifs de la méthode d'isolement ! En ce cas, il ne devait pas se retirer satisfait.

Les heures et les jours s'écoulaient, sans que rien, dans l'attitude du prisonnier, révélât un changement de ses intimes pensées. Assis sur une chaise, les mains appuyées sur les genoux, les yeux baissés, la face froide, il semblait profondément réfléchir, et gardait une immobilité presque absolue, sans donner aucun signe d'impatience. Dès la première minute, Serge Ladko s'était résolu au calme, et rien ne l'en ferait sortir ; mais il en arrivait, en constatant la fuite du temps, à regretter sa prison flottante qui, du moins, le rapprochait de Roustchouk.

Le troisième jour, enfin,—on était alors au 10 septembre,—sa porte s'ouvrit, et il fut invité à quitter sa cellule. Encadré par quatre soldats, baïonnette au canon, il suivit un long couloir, descendit un interminable escalier, puis traversa une rue, au delà de laquelle il pénétra dans le Palais de Justice, bâti en face de la prison.

Dans cette rue, le populaire grouillait, se pressant derrière un cordon d'agents de police. Quand le prisonnier apparut, de féroces clameurs s'élevèrent de cette foule, avide d'exprimer sa haine pour le malfaiteur redouté et si longtemps impuni. Quel que fût le sentiment de Serge Ladko en se voyant en butte à cette injure imméritée, il n'en laissa rien paraître. D'un pas ferme, il entra dans le Palais, et, après une nouvelle attente, se trouva enfin devant son juge.

M. Izar Rona, petit homme malingre, blond, la barbe rare, au teint jaune et bilieux, était un magistrat de la manière forte. Procédant par affirmations tranchantes, par dénégations brutales, il attaquait l'adversaire à coups de boutoir, plus désireux d'inspirer la terreur que de gagner la confiance.

Les gardes s'étaient retirés sur un signe du juge.

Debout au milieu de la pièce, Serge Ladko attendait qu'il plût à celui-ci de l'interroger. Dans un angle, le greffier prêt à écrire.

«Asseyez-vous, dit M. Rona d'un ton brusque.

Serge Ladko obéit. Le magistrat reprit :

—Votre nom ?

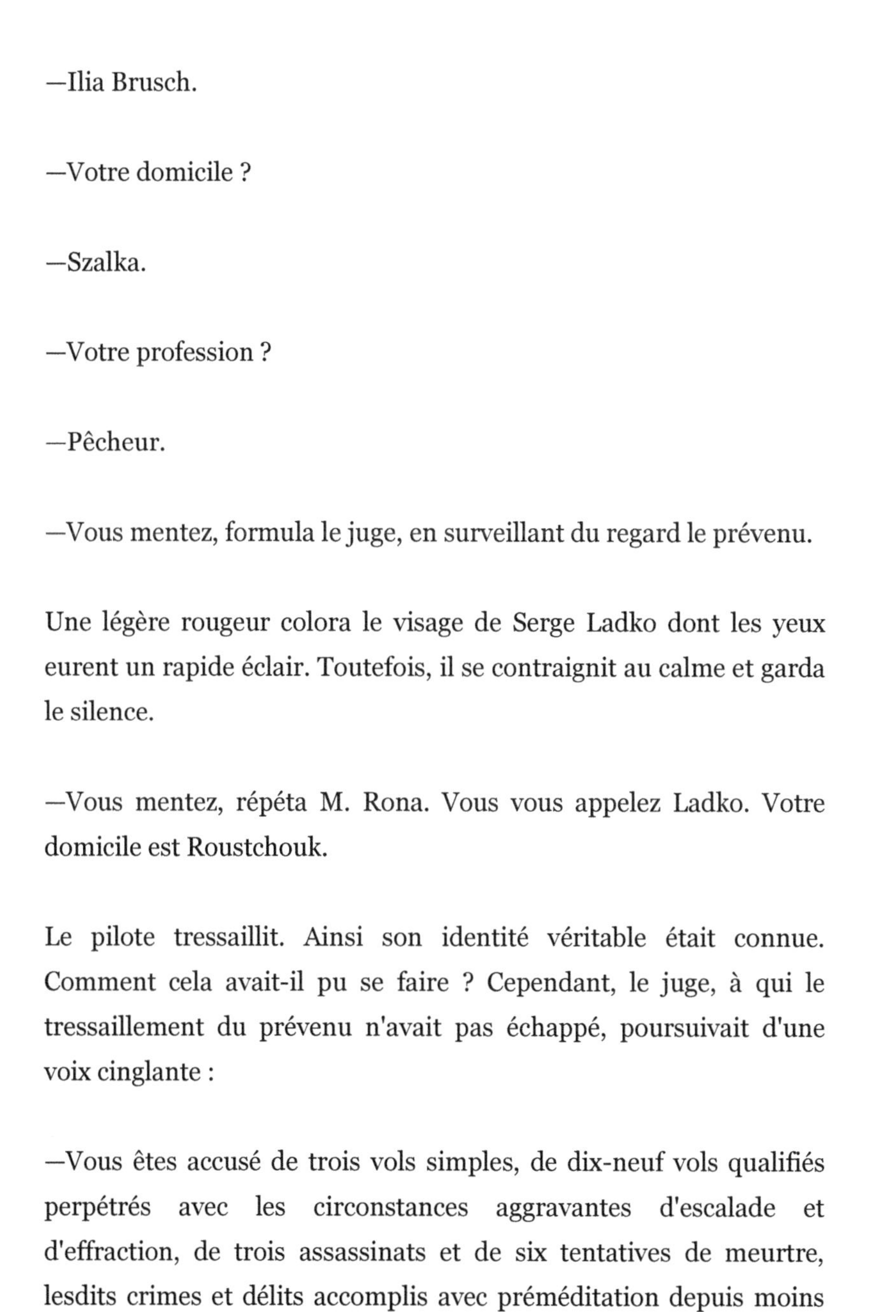

—Ilia Brusch.

—Votre domicile ?

—Szalka.

—Votre profession ?

—Pêcheur.

—Vous mentez, formula le juge, en surveillant du regard le prévenu.

Une légère rougeur colora le visage de Serge Ladko dont les yeux eurent un rapide éclair. Toutefois, il se contraignit au calme et garda le silence.

—Vous mentez, répéta M. Rona. Vous vous appelez Ladko. Votre domicile est Roustchouk.

Le pilote tressaillit. Ainsi son identité véritable était connue. Comment cela avait-il pu se faire ? Cependant, le juge, à qui le tressaillement du prévenu n'avait pas échappé, poursuivait d'une voix cinglante :

—Vous êtes accusé de trois vols simples, de dix-neuf vols qualifiés perpétrés avec les circonstances aggravantes d'escalade et d'effraction, de trois assassinats et de six tentatives de meurtre, lesdits crimes et délits accomplis avec préméditation depuis moins de trois ans. Qu'avez-vous à répondre ?

Le pilote avait écouté, stupéfait, cette incroyable nomenclature. Eh quoi ! la confusion qu'il avait redoutée, en apprenant de la bouche de M. Jaeger l'existence de son sinistre homonyme, cette confusion s'était produite en effet.

Dès lors, à quoi bon avouer qu'il s'appelait Serge Ladko ? Tout à l'heure, il avait eu la pensée de le reconnaître, en implorant la discrétion du juge. Il comprenait maintenant qu'un tel aveu serait plus nuisible qu'utile. C'était bien lui, Serge Ladko, de Roustchouk, et non un autre, qui était accusé de cette effroyable série de crimes. Sans doute, même définitivement identifié, il parviendrait à établir son innocence. Mais combien de temps faudrait-il pour y arriver ? Non, mieux valait soutenir jusqu'au bout le rôle du pêcheur Ilia Brusch, puisque Ilia Brusch était le nom d'un innocent.

—J'ai à répondre que vous vous trompez, répliqua-t-il d'une voix ferme. Je me nomme Ilia Brusch et je demeure à Szalka. Il est bien facile, d'ailleurs, de vous en assurer.

—Ce sera fait, dit le juge en prenant une note. En attendant, je vais vous faire connaître quelques-unes des charges qui pèsent sur vous.

Serge Ladko se fit plus attentif. On touchait au point intéressant.

—Pour le moment, commença le juge, nous laisserons de côté la plus grande partie des crimes qui vous sont reprochés, et nous nous occuperons seulement des plus récents, de ceux qui ont été perpétrés pendant le voyage au cours duquel vous avez été arrêté.

M. Rona, ayant repris haleine, poursuivit :

—C'est à Ulm que l'on signale pour la première fois votre présence. C'est donc à Ulm que nous placerons l'origine de ce voyage.

—Pardon, Monsieur, interrompit vivement Serge Ladko. Mon voyage avait commencé bien avant Ulm, puisque j'ai remporté deux prix au concours de pêche de Sigmaringen et que j'ai ensuite remonté le fleuve jusqu'à Donaueschingen.

—Il est exact, en effet, répliqua le juge, qu'un certain Ilia Brusch a été proclamé lauréat du concours de pêche institué par la Ligue Danubienne à Sigmaringen, et que cet Ilia Brusch a été vu à Donaueschingen.

Mais, ou bien vous aviez déjà adopté à Sigmaringen une personnalité d'emprunt, ou bien vous vous êtes substitué audit Ilia Brusch pendant qu'il allait de Donaueschingen à Ulm. C'est un point que nous éluciderons en son temps, soyez tranquille.

Serge Ladko, les yeux écarquillés par la surprise, écoutait comme dans un rêve ces fantaisistes déductions. Un peu plus, on eût compté l'imaginaire Ilia Brusch au nombre de ses victimes ! Sans prendre la peine de répondre, il haussait dédaigneusement les épaules, quand le juge, en le regardant fixement, lui demanda tout à coup à brûle-pourpoint :

—Qu'êtes-vous allé faire à Vienne, le 26 août dernier, chez le juif Simon Klein ?

Malgré lui, Serge Ladko tressaillit une seconde fois. Voilà qu'on connaissait cette visite, maintenant ! Certes, elle n'avait rien de répréhensible, mais l'avouer, c'était avouer en même temps son identité, et, puisqu'il avait adopté le parti de la nier, force lui était de persister dans cette voie.

—Simon Klein ?... répéta-t-il d'un air interrogateur, en homme qui ne comprend pas.

—Vous niez ?... fit M. Rona. Je m'y attendais. C'est donc à moi de vous apprendre qu'en vous rendant chez le juif Simon Klein—et le juge, ce disant, se souleva à demi sur son siège pour donner à ses paroles une plus écrasante autorité,—vous alliez vous entendre avec le receleur ordinaire de votre bande.

—De ma bande !... répéta le pilote ahuri.

—Il est vrai, rectifia ironiquement le juge, que vous ne savez pas ce que je veux dire, que vous ne faites partie d'aucune bande, que vous n'êtes pas Ladko, mais bien un inoffensif pêcheur à la ligne du nom d'Ilia Brusch ; Mais alors, si vous vous nommez en effet Ilia Brusch, pourquoi vous cachez-vous ?

—Je me cache, moi ?... protesta Serge Ladko.

—Dame ! ça m'en a tout l'air, répondit M. Izar Rona, à moins que ce ne soit pas se cacher que de dissimuler sous des lunettes noires des yeux qui semblent les meilleurs du monde—au fait ! ayez donc l'obligeance de les enlever, ces lunettes !—et de teindre en noir des cheveux que l'on a naturellement blonds.

Serge Ladko était accablé.

La police était bien renseignée et la trame se resserrait autour de lui ; sans paraître remarquer son trouble, M. Rona poursuivit son avantage :

—Eh ! eh ! vous voilà moins fringant, mon gaillard. Vous ne nous saviez pas si avancés ... mais je continue. A Ulm, vous aviez pris un passager avec vous.

—Oui, répondit Serge Ladko.

—Quel était son nom ?

—M. Jaeger.

—Très exact. Voudriez-vous me dire ce qu'il est devenu, ce M. Jaeger?

—Je l'ignore. Il m'a quitté en pleine campagne, presque au confluent de l'Ipoly. J'ai été bien surpris de ne plus le trouver en revenant à bord.

—En revenant, dites-vous. Vous vous étiez donc absenté ? Où étiez-vous allé ?

—Dans un village des environs, afin de me procurer un cordial pour mon passager.

—Il était donc malade ?

—Très malade. Il avait failli se noyer tout bonnement.

—Et c'est vous qui l'avez sauvé, je présume ?

—Qui voulez-vous que ce soit, puisqu'il n'y avait que moi ?

—Hum !... fit le juge un peu ébranlé.

Mais, se ressaisissant :

—Vous comptez sans doute m'émouvoir avec cette histoire de sauvetage ?

—Moi ? protesta Ladko. Vous m'interrogez, je réponds. Voilà tout.

—C'est bon, conclut M. Izar Rona. Mais, dites-moi, avant cet incident, vous n'aviez jamais quitté votre barge, je crois ?

—Une seule fois, pour aller chez moi, à Szalka.

—Pourriez-vous me préciser la date de cette excursion ?

—Pourquoi pas, en cherchant un peu.

—Je vais vous aider. Ne serait-ce pas dans la nuit du 28 au 29 août ?

—Peut-être bien.

—Vous ne le niez pas ?

—Non.

—Vous l'avouez ?

—Si vous voulez.

—Nous sommes d'accord... C'est sur la rive gauche du Danube, je crois, que se trouve Szalka ? demanda M. Rona d'un air bonhomme.

—En effet.

—Et il faisait noir, je crois, dans cette nuit du 28 au 29 août ?

—Très noir. Un temps affreux.

—Cela explique que vous vous soyez trompé. C'est par une erreur toute naturelle qu'en pensant aborder la rive gauche, vous avez débarqué sur la rive droite.

—Sur la rive droite ?

M. Izar Rona se leva tout à fait, et, fixant le prévenu dans les yeux, prononça :

—Oui, sur la rive droite, juste en face de la villa du comte Hagueneau ?

Serge Ladko chercha de bonne foi dans ses souvenirs.

Hagueneau ? Il ne connaissait pas ce nom.

—Vous êtes très fort, déclara le juge déçu dans son essai d'intimidation. Il est donc entendu que c'est la première fois que vous entendez prononcer le nom du comte Hagueneau et que, si, au cours de la nuit du 28 au 29 août, sa villa a été mise au pillage et son gardien Christian Hoël grièvement blessé, c'est à votre insu. Où diable avais-je la tête ? Comment connaîtriez-vous ces crimes commis par un certain Ladko ? Ladko, que diable ! ce n'est pas votre nom !

—Mon nom est Ilia Brusch, affirma le pilote d'une voix moins assurée que la première fois.

—Parfait ! parfait !... c'est convenu ... mais alors, si vous ne vous appelez pas Ladko, pourquoi avez-vous disparu, juste après la perpétration de ce crime, pour ne rompre votre incognito—et encore bien modestement !—qu'à une distance respectable de la région qui en a été le théâtre ? Pourquoi ne vous a-t-on vu, vous qui montriez auparavant si généreusement votre personne, ni à Budapest, ni à Neusatz, ni à aucune ville un peu importante ? Pourquoi avez-vous abandonné votre rôle de pêcheur, au point même d'acheter parfois du poisson dans les villages où vous consentiez à vous arrêter ?

Tout cela était de l'hébreu pour le malheureux pilote. S'il avait disparu, c'était bien malgré lui. Depuis cette nuit du 28 au 29 août, n'avait-il pas été constamment prisonnier ? Dans ces conditions, quoi de surprenant à ce qu'il eût disparu ? L'étonnant, au contraire, c'est qu'il se trouvât quelqu'un pour prétendre l'avoir aperçu.

Cette erreur du moins serait facile à dissiper. Il suffirait de raconter sincèrement l'aventure incompréhensible dont il avait été victime.

La justice serait peut-être plus clairvoyante et peut-être arriverait-elle à débrouiller les fils de cet imbroglio. Bien décidé à faire ce récit, Serge Ladko attendait impatiemment que M. Rona lui permit de placer un mot. Mais le juge était lancé à toute vapeur. Il se promenait maintenant de long en large dans son cabinet, en jetant au visage de son prisonnier un flot d'arguments qu'il jugeait triomphants.

—Si vous n'êtes pas Ladko, continuait-il avec une véhémence croissante, comment se fait-il que, succédant au pillage de la villa du comte Hagueneau, pillage accompli, par un malheureux hasard, précisément au moment où vous aviez quitté votre barge, un vol, oh ! un vol simple, celui-ci ! ait été commis à Szuszek dans la nuit du 5 au 6 septembre, nuit que vous avez dû nécessairement passer en face de ce village ? Si vous n'êtes pas Ladko, enfin, que faisait dans votre barge ce portrait adressé à son mari par votre femme, Natcha Ladko?

M. Rona avait touché juste, cette fois, et le dernier argument était en effet triomphant. Le pilote, anéanti, avait baissé la tête et de grosses gouttes de sueur ruisselaient de son visage.

Cependant le juge poursuivait d'une voix plus haute :

—Si vous n'êtes pas Ladko, pourquoi ce portrait a-t-il été supprimé du jour où vous vous êtes senti menacé ? Il était dans votre coffre, ce portrait ; je précise, dans votre coffre de tribord. Il n'y est plus. Sa présence vous accusait ; sa disparition vous condamne. Qu'avez-vous à répondre ?

—Rien, murmura Ladko d'une voix sourde. Je ne comprends rien à ce qui m'arrive.

—Vous comprendrez à merveille si vous voulez vous en donner la peine.

Pour le moment, nous allons interrompre cet intéressant entretien. On va vous reconduire dans votre cellule, où vous aurez tout le temps de vous livrer à vos réflexions. Récapitulons, en attendant, l'interrogatoire d'aujourd'hui. Vous prétendez : 1° Vous nommer Ilia Brusch ; 2° Avoir remporté le prix au concours de pêche de Sigmaringen ; 3° Habiter Szalka ; 4° Avoir passé chez vous, à Szalka, la nuit du 28 au 29 août. Ces points seront vérifiés. De mon côté je prétends : 1° Que votre nom est Ladko ; 2° Que votre domicile est Roustchouk ; 3° Que, dans la nuit du 28 au 29 août, avec l'aide de nombreux complices, vous avez mis au pillage la villa du comte Hagueneau et vous êtes rendu coupable d'une tentative de meurtre sur la personne du gardien Christian Hoël ; 4° Qu'un vol dont le nommé Kellermann, de Szuszek, a été victime, dans la nuit du 5 au 6 septembre, doit être mis à votre passif ; 5° Que de nombreux autres vols et meurtres commis dans les régions baignées par le Danube doivent pareillement vous être imputés. L'instruction de ces crimes est ouverte. Des témoins sont cités. Vous serez mis en leur présence... Voulez-vous signer votre interrogatoire ?.. Non ?.. A votre aise !.. Gardes, reconduisez le prévenu !»

Pour regagner sa prison, Serge Ladko dut passer de nouveau au milieu de la foule et en subir encore les vociférations hostiles. La colère populaire semblait s'être accrue pendant la durée de l'interrogatoire et la police eut quelque peine à protéger le prisonnier.

Au premier rang de cette foule hurlante, figurait Ivan Striga. Celui-ci dévora des yeux l'individu qui prenait sa place avec tant de complaisance.

Le pilote passa à deux mètres de lui et il put le voir tout à son aise. Mais il ne reconnut pas cet homme imberbe, aux cheveux bruns, dont le visage était orné d'une superbe paire de lunettes noires, et ses perplexités n'en furent pas atténuées.

Striga s'éloigna tout songeur avec le reste de la foule quand furent refermées les portes de la prison. Décidément, il ne connaissait pas l'homme arrêté. Ce n'était, en tous cas, ni Dragoch, ni Ladko. Dès lors, qu'il s'agît d'Ilia Brusch ou de tout autre, que lui importait ? Quelle que fût la personnalité de l'accusé, l'essentiel était qu'il absorbât l'attention de la justice, et Striga n'avait plus de raison de s'attarder à Semlin. C'est pourquoi il se résolut à partir dès le lendemain peur regagner son chaland.

Mais, à son réveil, la lecture des journaux le fit changer d'avis. Cette affaire Ladko étant menée dans le secret le plus rigoureux, c'était une raison péremptoire pour que la Presse s'ingéniât à percer, le mystère. Elle y avait réussi. Ample était sa moisson d'informations.

Les journaux relataient, en effet, assez exactement le premier interrogatoire, en faisant suivre leur récit de commentaires qui n'étaient pas précisément favorables à l'accusé. En général, ils s'étonnaient de l'obstination avec laquelle celui-ci soutenait être un simple pêcheur, du nom d'Ilia Brusch, habitant seul la petite ville de Szalka. Quel intérêt pouvait-il avoir à soutenir un pareil système, dont la fragilité était évidente ? Déjà, d'après eux, le juge d'instruction, M. Izar Rona, avait envoyé à Gran une commission rogatoire. D'ici très peu de jours, un magistrat se transporterait donc à Szalka et se livrerait à une enquête qui aurait comme résultat de ruiner les allégations du prévenu.

On chercherait cet Ilia Brusch, et on le trouverait ... s'il existait, ce qui, en somme, était fort douteux.

Cette nouvelle modifia les projets de Striga. Tandis qu'il poursuivait sa lecture, une idée singulière lui était venue, et l'idée prit corps, quand il eut achevé de lire. Certes, il était très bon que la justice tînt un innocent. Mais il serait meilleur encore qu'elle le gardât. Pour cela, que fallait-il ? Lui fournir un Ilia Brusch en chair et en os, ce qui convaincrait ipso facto d'imposture le véritable Ilia Brusch qu'on retenait prisonnier à Semlin. Cette charge s'ajouterait à celles qu'on possédait déjà forcément contre lui, puisqu'on l'avait arrêté, et suffirait peut-être à motiver sa condamnation définitive, au grand profit du vrai coupable.

Sans plus attendre, Striga quitta la ville. Seulement, au lieu de regagner son chaland, il lui tournait le dos. Emporté par une rapide voiture, il allait rejoindre la ligne ferrée qui l'emmènerait à toute vapeur vers Budapest et vers le Nord.

Pendant ce temps, Serge Ladko, gardant son immobilité coutumière, comptait tristement les heures. De sa première entrevue avec le juge, il était revenu effrayé de la gravité des présomptions qui pesaient sur lui. Certes, il réussirait fatalement avec le temps à faire triompher son innocence. Mais il lui faudrait sans doute s'armer de patience, car il ne pouvait méconnaître que les apparences fussent contre lui et que la justice n'eût bâti avec logique son échafaudage d'hypothèses.

Toutefois, il y a loin entre de simples soupçons et des preuves formelles. Or, des preuves, on n'arriverait jamais, et pour cause, à en réunir contre lui.

Le seul témoin qu'il eût à craindre, et encore uniquement en ce qui concernait le secret de son nom, c'était le juif Simon Klein. Mais Simon Klein, qui avait son point d'honneur professionnel, ne consentirait vraisemblablement jamais à le reconnaître. D'ailleurs, aurait-on même besoin de le mettre en présence de son ancien correspondant de Vienne ? Le juge n'avait-il pas déclaré qu'il allait se renseigner à Szalka ? Ces renseignements ne pouvant manquer d'être excellents, la mise en liberté du prisonnier en résulterait évidemment.

Plusieurs jours s'écoulèrent, durant lesquels Serge Ladko ressassa ces pensées avec une fébrilité croissante. Szalka n'était pas si loin, et il ne fallait pas si longtemps pour se renseigner. On était au septième jour, depuis son premier interrogatoire, quand il fut introduit, de nouveau dans le cabinet de M. Rona.

Le juge était à son bureau et paraissait fort occupé. Pendant dix minutes, il laissa le pilote attendre debout, comme s'il eût ignoré sa présence.

«Nous avons la réponse de Szalka, dit-il enfin d'une voix détachée, sans même relever les yeux sur le prisonnier qu'il surveillait sournoisement à travers ses cils baissés.

—Ah !.. fit Serge Ladko avec satisfaction.

—Vous aviez raison, continuait cependant M. Rona. Il existe bien à Szalka un nommé Ilia Brusch, qui jouit de la meilleure réputation.

—Ah !.. fit pour la seconde fois le pilote, qui voyait déjà ouverte la porte de sa prison.

Le juge, se faisant plus étranger et plus indifférent encore, murmura sans paraître y attacher la moindre importance :

—Le commissaire de police de Gran, chargé de l'enquête, a eu la bonne fortune de lui parler à lui-même.

—A lui-même ? répéta Serge Ladko qui ne comprenait pas.

—A lui-même, affirma le juge.

Serge Ladko croyait rêver. Comment un autre Ilia Brusch avait-il pu être trouvé à Szalka ?

—Ce n'est pas possible, Monsieur, balbutia-t-il. Il y a erreur.

—Jugez-en vous-même, répliqua le juge. Voici le rapport du commissaire de police de Gran. Il en résulte que ce magistrat, déférant à la commission rogatoire que je lui ai adressée, s'est transporté le 14 septembre à Szalka et qu'il s'est rendu dans une maison sise au coin du chemin de halage et de la route de Budapest... C'est bien l'adresse que vous avez donnée, je pense ? demanda le juge en s'interrompant.

—Oui, Monsieur, répondit Serge Ladko d'un air égaré.

—... et de la route de Budapest, reprit M. Rona ; qu'il a été reçu dans la dite maison, par le sieur Ilia Brusch en personne, lequel a déclaré n'être que tout récemment revenu d'une assez longue absence. Le commissaire ajoute que les renseignements qu'il a pu recueillir sur le sieur Ilia Brusch tendent à établir sa parfaite honorabilité, et qu'aucun autre habitant de Szalka ne porte ce nom... Avez-vous quelque chose à dire ? Ne vous gênez pas, je vous prie.

—Non, Monsieur, balbutia Serge Ladko qui se sentait devenir fou.

—Voilà donc un premier point élucidé,» conclut avec satisfaction M. Rona, qui regardait son prisonnier comme le chat doit regarder une souris.

XIV - ENTRE CIEL ET TERRE

Son deuxième interrogatoire terminé, Serge Ladko regagna sa cellule sans se rendre compte de ce qu'il faisait. A peine s'il avait entendu les questions du juge après que l'incident de la commission rogatoire eut été vidé de la façon que l'on sait, et il n'avait plus répondu que d'un air hébété. Ce qui lui arrivait dépassait les limites de son intelligence. Que lui voulait-on à la fin ? Enlevé, puis incarcéré à bord d'un chaland par de mystérieux ennemis, il ne recouvrait sa liberté que pour la perdre aussitôt ; et voici maintenant qu'on trouvait, à Szalka, un autre Ilia Brusch, c'est-à-dire un autre lui-même, dans sa propre maison !.. Cela tenait de la fantasmagorie !

Stupéfait, affolé par cette succession d'événements inexplicables, il avait la sensation d'être le jouet de puissances supérieures et hostiles, d'être invinciblement entraîné, proie inerte et sans défense, dans les engrenages de cette machine formidable qui s'appelle : la Justice.

Cette dépression, cet anéantissement de toute énergie, son visage l'exprimait avec tant d'éloquence, qu'un des gardiens qui lui faisaient escorte en fut ému, bien qu'il considérât son prisonnier comme le plus abominable criminel.

«Ça ne va donc pas comme vous voulez, camarade ? demanda, en mettant dans sa voix quelque désir de réconfort, ce fonctionnaire blasé cependant par profession sur le spectacle des misères humaines.

Il aurait parlé à un sourd, que le résultat eût été le même.

—Allons ! reprit le compatissant gardien, il faut se faire une raison. M. Izar Rona n'est pas un mauvais diable, et tout s'arrangera peut-être mieux que vous ne pensez...

En attendant, je vais vous laisser ça... Il est question de votre pays là-dedans. Ça vous distraira.»

Le prisonnier garda son immobilité. Il n'avait pas entendu.

Il n'entendit pas davantage les verrous poussés à l'extérieur et pas davantage il ne vit le journal que le gardien, trahissant ainsi sans penser à mal le secret rigoureux auquel était astreint son prisonnier, déposait sur la table en s'en allant.

Les heures coulèrent. Le jour s'acheva, puis la nuit, et ce fut une nouvelle aurore. Ecroulé sur sa chaise, Serge Ladko n'avait pas conscience de la fuite du temps.

Cependant, quand le jour grandissant vint frapper son visage, il parut sortir de cet accablement. Il ouvrit les yeux, et son regard vague erra par la cellule. La première chose qu'il aperçut alors, ce fut le journal laissé la veille par le pitoyable gardien.

Tel que celui-ci l'y avait placé, ce journal s'étalait toujours sur la table, découvrant une manchette imprimée en grasses capitales au-dessous du titre. «Les massacres de Bulgarie», annonçait cette manchette, sur laquelle tomba le premier regard de Serge Ladko. Il tressaillit et s'empara fébrilement du journal. Son intelligence réveillée revenait à flots. Ses yeux fulguraient, tandis qu'il poursuivait sa lecture.

Les événements qu'il apprenait ainsi étaient, au même instant, commentés dans l'Europe entière, et y soulevaient une clameur générale de réprobation. Depuis, ils sont entrés dans l'histoire, dont ils ne forment pas la page la plus glorieuse.

Ainsi qu'il a été rappelé au début de ce récit, toute la région balkanique était alors en ébullition.

Dès l'été de 1875, l'Herzégovine s'était révoltée, et les troupes ottomanes envoyées contre elle n'avaient pu la réduire. En mai 1876, la Bulgarie s'étant soulevée à son tour, la Porte répondit à l'insurrection en concentrant une nombreuse armée dans un vaste triangle ayant pour sommets Roustchouk, Widdin et Sofia. Enfin, le 1er et le 2 juillet de cette année 1876, la Serbie et le Monténégro, entrant en scène à leur tour, avaient déclaré la guerre à la Turquie. Les Serbes, commandés par le général russe Tchernaief, après avoir tout d'abord remporté quelques succès, avaient dû battre en retraite en deçà de leur frontière, et le 1er septembre le prince Milan s'était vu contraint de demander un armistice de dix jours, pendant lequel il sollicita, des puissances chrétiennes, une intervention que celles-ci furent malheureusement trop longues à lui accorder.

«Alors,» dit M. Édouard Driault, dans son Histoire de la Question d'Orient, «se produisit le plus affreux épisode de ces luttes ; il rappelle les massacres de Chio au temps de l'insurrection grecque. Ce furent les massacres de Bulgarie. La Porte, au milieu de la guerre contre la Serbie et le Monténégro, craignait que l'insurrection bulgare, sur les derrières de l'armée, ne compromît ses opérations. Le gouverneur de la Bulgarie, Chefkat-Pacha, reçut-il l'ordre d'écraser l'insurrection sans regarder aux moyens ? Cela est vraisemblable. Des bandes de Bachi-Bouzouks et de Circassiens appelées d'Asie furent lâchées sur la Bulgarie, et en quelques jours elle fut mise à feu et à sang. Ils assouvirent à l'aise leurs sauvages passions, brûlèrent les villages, massacrèrent les hommes au milieu des tortures les plus raffinées, éventrèrent les femmes, coupèrent en morceaux les enfants.

Il y eut environ vingt-cinq à trente mille victimes...»

Tandis qu'il lisait, des gouttes de sueur perlaient sur le visage de Serge Ladko. Natcha !.. Qu'était devenue Natcha, au milieu de cet effroyable bouleversement ?.. Vivait-elle encore ? Était-elle morte, au contraire, et son cadavre éventré, coupé en morceaux, de même que celui de tant d'autres innocentes victimes, traînait-il dans la boue, dans la fange, dans le sang, écrasé sous le pied des chevaux ?

Serge Ladko s'était levé, et, pareil à une bête fauve mise en cage, courait furieusement autour de la cellule, comme s'il eût cherché une issue pour voler au secours de Natcha.

Cet accès de désespoir fut de courte durée. Revenu bientôt à la raison, il se contraignit au calme, d'un énergique effort, et, avec un cerveau lucide, chercha les moyens de reconquérir sa liberté.

Aller trouver le juge, lui avouer sans détour la vérité, implorer au besoin sa pitié ?.. Mauvais moyen. Quelle chance avait-il d'obtenir la confiance d'un esprit prévenu, après avoir si longtemps persévéré dans le mensonge ? Etait-il en son pouvoir de détruire d'un seul mot la suspicion attachée à son nom de Ladko, de ruiner en un instant les présomptions qui l'accablaient ? Non. Une enquête serait à tout le moins nécessaire, et une enquête exigerait des semaines, sinon des mois.

Il fallait donc fuir.

Pour la première fois depuis qu'il y était entré, Serge Ladko examina sa cellule. Ce fut vite fait. Quatre murs percés de deux ouvertures : la porte d'un coté, la fenêtre de l'autre. Derrière trois de ces murs, d'autres cachots, d'autres prisons ; derrière la fenêtre seulement, l'espace et la liberté.

L'enseuillement de cette fenêtre, dont le linteau atteignait le plafond, dépassait un mètre cinquante, et sa partie inférieure, ce qu'on eût nommé l'appui pour une ouverture ordinaire, était inaccessible, une rangée de gros barreaux scellés dans l'épaisseur du cadre en interdisant l'approche. D'ailleurs, cette difficulté vaincue, il en serait resté une autre. Au dehors, une sorte de hotte, dont les côtés venaient s'appliquer de part et d'autre de la fenêtre, arrêtait tout regard vers l'extérieur et ne laissait de visible qu'un étroit rectangle de ciel. Non pas même pour fuir, mais pour être seulement en état d'en chercher le moyen, il fallait donc tout d'abord forcer l'obstacle de la grille, puis se hisser à force de bras au sommet de cette hotte, de manière à pouvoir reconnaître les alentours.

A en juger par les escaliers descendus lors des convocations de M. Izar Rona, Serge Ladko s'estimait enfermé au quatrième étage de la prison. Douze à quatorze mètres à tout le moins devaient donc le séparer du sol. Serait-il possible de les franchir ? Impatient d'être renseigné à cet égard, il résolut de se mettre à l'oeuvre sur-le-champ.

Au préalable, cependant, il convenait de se procurer un instrument de travail. On lui avait tout pris, quand on l'avait écroué, et, dans son cachot, rien ne pouvait être d'aucun secours. Une table, une chaise et une couchette, représentée par une maigre paillasse recouvrant une voûte en maçonnerie, c'était là tout son mobilier.

Serge Ladko cherchait en vain depuis longtemps, quand, en visitant pour la centième fois ses vêtements, sa main rencontra enfin un corps dur. Pas plus que ses geôliers eux-mêmes, il n'avait pensé jusqu'ici à cette chose insignifiante qu'est une boucle de pantalon. Quelle importance n'acquérait pas maintenant cette chose insignifiante, seul objet métallique qui fût en sa possession !

Ayant détaché cette boucle, Serge Ladko, sans perdre une minute, attaqua la muraille au pied de l'un des barreaux, et la pierre, obstinément griffée par les ardillons d'acier, commença à tomber en poussière sur le sol. Ce travail, déjà lent et pénible par lui-même, était encore compliqué par la surveillance incessante à laquelle était soumis le prisonnier. Une heure ne s'écoulait pas, sans qu'un gardien vînt mettre l'oeil au guichet de la porte. De là, nécessité d'avoir toujours l'oreille tendue vers les bruits extérieurs, et, au moindre signe de danger, d'interrompre le travail en faisant disparaître toute trace suspecte.

Dans ce but, Serge Ladko utilisait son pain. Ce pain, malaxé avec la poussière qui tombait de la muraille, prit d'une manière assez satisfaisante la couleur de la pierre et devint un véritable mastic, à l'aide duquel le trou fut dissimulé à mesure qu'il était creusé. Quant au surplus des débris produits par le grattage, il le cachait sous la voûte de son lit.

Après douze heures d'efforts, le barreau était déchaussé sur une hauteur de trois centimètres, mais la boucle n'avait plus de pointes. Serge Ladko brisa l'armature, et, des morceaux, fit autant d'outils. Douze heures plus tard, ces menus fragments d'acier avaient disparu à leur tour.

Heureusement, la chance qui avait déjà souri au prisonnier semblait ne plus vouloir l'abandonner. Au premier repas qui lui fut servi, il se risqua à garder un couteau de table, et, personne n'ayant remarqué ce larcin, il le recommença avec le même bonheur le jour suivant. Il se trouvait ainsi maître de deux instruments plus sérieux que ceux dont il avait disposé jusqu'ici. A vrai dire, il ne s'agissait que de méchants couteaux très grossièrement fabriqués. Toutefois, leurs lames étaient assez bonnes, et les manches en facilitaient le maniement.

Le travail, à partir de ce moment, avança plus vite, bien que trop lentement encore.

Le ciment, avec le temps, avait acquis la dureté du granit et ne se laissait que difficilement effriter. A chaque instant, d'ailleurs, le travail devait être interrompu, soit à cause d'une ronde de gardiens, soit par suite d'une convocation de M. Rona, qui multipliait les interrogatoires.

Le résultat de ces interrogatoires était toujours le même. L'instruction piétinait sur place. A chaque séance, c'était un défilé de témoins dont les déclarations n'apportaient aucune lumière. Si les uns semblaient trouver quelque vague ressemblance entre Serge Ladko et le malfaiteur qu'ils avaient plus ou moins nettement aperçu le jour où ils en avaient été victimes, d'autres niaient catégoriquement cette ressemblance. M. Rona avait beau affubler son prévenu de barbes postiches taillées selon toutes les coupes imaginables, l'obliger à montrer ses yeux ou à les dissimuler derrière les verres noirs des lunettes, il ne réussissait pas à obtenir un seul témoignage formel. Aussi attendait-il avec impatience que l'état de Christian Hoël, blessé lors du dernier attentat de la bande du Danube, permît à celui-ci de se rendre à Semlin.

De ces interrogatoires, Serge Ladko se désintéressait d'ailleurs. Docilement, il se prêtait à toutes les expériences du juge, s'affublait de perruques et de fausses barbes, mettait ou retirait ses lunettes, sans se permettre la plus petite observation. Sa pensée était absente de ce cabinet. Elle restait dans sa cellule, où le barreau qui le séparait de la liberté sortait peu à peu de la pierre.

Quatre jours lui furent nécessaires pour achever de le desceller. C'est seulement le soir du 23 septembre qu'il en atteignit l'extrémité inférieure.

Il s'agissait maintenant d'en scier l'extrémité opposée.

Cette partie du travail était la plus pénible. Suspendu d'une main au reste de la grille, Serge Ladko, de l'autre, activait le va-et-vient de son outil. Celui-ci, simple lame de couteau, jouait mal son rôle de scie et n'entamait que lentement le fer. D'autre part, cette position exténuante obligeait à de fréquents repos.

Le 29 septembre, enfin, après six jours d'efforts héroïques, Serge Ladko estima suffisante la profondeur de l'entaille. A quelques millimètres près, le fer était en effet sectionné. Il n'aurait donc aucune peine à vaincre la résistance du métal, lorsqu'il voudrait plier la barre. Il était temps. La lame du second couteau était alors réduite à un fil.

Dès le lendemain matin, aussitôt après le passage de la première ronde, ce qui lui assurait une heure environ de sécurité, Serge Ladko poursuivit méthodiquement son entreprise. Conformément à ses prévisions, le barreau fléchit sans difficulté. Par l'ouverture ainsi faite, il passa de l'autre côté de la grille, puis, s'enlevant à la force des bras, atteignit le sommet de la hotte. Avidement, il regarda autour de lui.

Comme il l'avait supposé, quatorze mètres environ le séparaient du sol. Cette distance n'était pas telle qu'il fût impossible de la franchir, pourvu que l'on possédât une corde de longueur suffisante. Mais arriver jusqu'au sol n'était que la difficulté la moins grave, et, cette difficulté fût-elle vaincue, le problème n'en serait pas pour cela plus près d'être résolu.

Ainsi que Serge Ladko put le constater, la prison était, en effet, ceinturée par un chemin de ronde, que limitait, à la périphérie, un mur d'environ huit mètres d'élévation, au delà duquel apparaissaient des toits de maisons.

Après être descendu, il faudrait donc passer par-dessus cette muraille, ce qui, dès l'abord, semblait impraticable.

A en juger par l'éloignement des maisons, une rue entourait probablement la prison. Une fois dans cette rue, un fugitif pouvait se considérer comme sauvé. Mais le moyen existait-il d'y arriver sain et sauf ?

Serge Ladko, en quête d'un expédient, commença par examiner attentivement ce qu'il pouvait découvrir sur la gauche. S'il n'y trouva pas la solution qu'il cherchait, ce qu'il aperçut fit battre son coeur d'émotion. Dans cette direction, il voyait le Danube, dont d'innombrables bateaux de toutes tailles sillonnaient les eaux jaunes. Les uns suivaient ou remontaient le courant, d'autres tendaient la corde de leur ancre ou l'amarre qui les retenait au quai.

Parmi ces derniers, le pilote, du premier coup d'oeil, reconnut sa barge. Rien ne la distinguait des embarcations ses voisines, et il ne semblait pas qu'elle fût l'objet d'une surveillance particulière. Ce serait une heureuse chance, s'il parvenait à la reconquérir. En moins d'une heure, grâce à elle, il aurait franchi la frontière, et, en territoire serbe, il se rirait de la justice austro-hongroise.

Serge Ladko reporta ses regards vers la droite, et, de ce côté, il remarqua aussitôt une particularité qui le rendit attentif. Retenue de distance en distance par de solides crampons scellés dans le bâtiment, une tige de fer venue du toit—la chaîne du paratonnerre selon toute vraisemblance— passait à proximité de sa fenêtre, pour aller finalement s'enfoncer dans le sol. Cette tige de fer eût rendu la descente assez facile, si l'on avait pu arriver jusqu'à elle.

Or, ceci n'était peut-être pas irréalisable.

A la hauteur du carrelage de sa cellule, une sorte de bandeau, motivé par la décoration de l'édifice, courait le long du mur en faisant une saillie de vingt ou vingt-cinq centimètres. Peut-être, avec du sang-froid et de l'énergie, n'eût-il pas été impossible de s'y tenir debout, et d'atteindre ainsi la chaîne du paratonnerre.

Malheureusement, quand bien même on eût été capable d'une aussi folle audace, la muraille extérieure n'en fût pas moins, demeurée infranchissable. Prisonnier dans une cellule ou dans le chemin de ronde, c'était toujours être prisonnier.

Serge Ladko, en examinant cette muraille avec plus de soin qu'il ne l'avait fait jusqu'alors, observa que la partie supérieure, à peu de distance au-dessous du chaperon, en était décorée intérieurement et extérieurement par une série de bossages, formés de moellons carrés à demi encastrés dans le reste de la maçonnerie. Un long moment Serge Ladko contempla cet ornement architectural, puis, se laissant glisser sur l'appui de la fenêtre, il réintégra sa cellule, et se hâta de faire disparaître toute trace compromettante.

Son parti était pris. Le moyen d'être libre envers et contre tous, il l'avait trouvé. Quelque risqué qu'il fût, ce moyen pouvait, devait réussir. Au surplus, mieux valait la mort que la continuation de pareilles angoisses.

Patiemment, il attendit le passage de la seconde ronde. Assuré dès lors d'une nouvelle période de tranquillité, il se mit en devoir d'achever ses préparatifs. De ses draps, il fit, à l'aide de ce qui subsistait de son couteau, une cinquantaine de bandes de quelques centimètres de largeur. Afin que l'attention des gardiens ne fût pas attirée, il eut soin de réserver une quantité de toile suffisante pour que sa couchette gardât son aspect extérieur.

Quant au reste, nul n'aurait évidemment l'idée de venir soulever la couverture.

Les bandes découpées, il les accoupla quatre par quatre sous forme d'une tresse, dans laquelle les brins, se chevauchant l'un l'autre, s'allongeaient d'une nouvelle bande lorsqu'ils étaient proches de leur fin. Une journée fut consacrée à ce travail. Enfin, le 1er octobre, un peu avant midi, Serge Ladko eut en sa possession une corde solide, longue de quatorze à quinze mètres, qu'il dissimula soigneusement sous sa couchette.

Tout étant prêt, il résolut que l'évasion aurait lieu le soir même, à neuf heures.

Cette dernière journée, Serge Ladko l'occupa à examiner les plus petits détails de son entreprise, à en calculer les chances et les dangers. Quelle en serait l'issue : la liberté ou la mort ? Un avenir prochain en déciderait. Dans tous les cas, il la tenterait.

Toutefois, avant que l'instant d'agir sonnât, le sort lui réservait une dernière épreuve. Il était près de trois heures de l'après-midi, quand les verrous de sa porte furent tirés à grand bruit. Que lui voulait-on ? S'agissait-il encore d'un interrogatoire de M. Izar Rona ? L'heure à laquelle il convoquait d'ordinaire le prisonnier était passée cependant.

Non, il n'était pas question de se rendre à une convocation du juge. Par la porte ouverte, Serge Ladko aperçut dans le couloir, outre l'un de ses gardiens habituels, un groupe de trois personnes qui lui étaient inconnues. L'une de ces personnes était une femme, une jeune femme de vingt ans à peine, dont le visage exprimait la douceur et la bonté. Des deux hommes qui l'accompagnaient, l'un était évidemment son mari.

Le langage et l'attitude du gardien permettaient de reconnaître dans l'autre le directeur même de la prison.

Il s'agissait évidemment d'une visite. A en juger par la déférence respectueuse qui leur était témoignée, les visiteurs étaient gens de marque, peut-être quelque couple princier en voyage, auprès duquel le directeur jouait le rôle de cicérone.

«L'occupant actuel de cette cellule, dit-il à ses hôtes, n'est autre que le fameux Ladko, chef de la bande du Danube, dont le nom à dû certainement parvenir jusqu'à vous.

La jeune femme glissa un regard timide à l'adresse du célèbre malfaiteur. Il n'avait pas l'air bien terrible, ce célèbre malfaiteur. Jamais on ne se serait imaginé un chef de bandits d'une cruauté légendaire sous les traits de cet homme amaigri, émacié, à la figure hâve, dont les jeux exprimaient tant de détresse et de profond désespoir.

—Il est vrai qu'il s'entête à protester de son innocence, ajouta impartialement le directeur ; mais nous sommes habitués à cette chanson.»

Il fit ensuite remarquer aux visiteurs le bon ordre de la cellule et sa parfaite propreté. Dans la chaleur de son discours, il en franchit même le seuil, et alla s'adosser au-dessous de la fenêtre, afin de faire face à son auditoire.

Tout à coup, le coeur de Serge Ladko Cessa de battre. Sans le savoir, l'orateur frôlait l'endroit attaqué par le prisonnier et un peu de ciment commençait à tomber en fine poussière. Ebranlé par un autre mouvement, ce fut bientôt le tampon de mie de pain qui se détacha d'un seul bloc et tomba sur le carreau. Serge Ladko eut un frisson d'épouvanté, en constatant que l'extrémité du barreau descellé apparaissait à nu au fond de son alvéole.

Quelqu'un avait-il vu ? Oui, quelqu'un avait vu.

Tandis que son mari et le directeur examinaient la misérable table comme un objet du plus haut intérêt, et que le gardien, respectueusement détourné, semblait regarder quelque chose dans l'enfilade du couloir, la visiteuse tenait ses yeux fixés sur l'excavation pratiquée dans la muraille, et l'expression de son visage montrait qu'elle en comprenait le mystérieux langage.

Elle allait parler... d'un mot, ruiner tant d'efforts... Serge Ladko attendait, et, par degrés, il se sentait mourir.

Un peu pâle, la jeune femme releva les yeux sur le prisonnier et le couvrit de son regard limpide. Vit-elle les grosses larmes qui s'échappaient lentement des paupières du misérable ? Comprit-elle sa supplication silencieuse ? Eut-elle conscience de son horrible désespoir ?..

Dix secondes tragiques passèrent, et soudain elle se détourna en poussant un cri de douleur. Ses deux compagnons se précipitèrent vers elle. Que lui était-il arrivé ? Rien de grave, affirma-t-elle, d'une voix tremblante, en s'efforçant de sourire. Elle venait de se tordre sottement le pied, voilà tout.

Tandis que Serge Ladko allait, sans être aperçu, se placer devant le barreau accusateur, mari, directeur et gardien s'empressèrent. Les deux premiers sortirent soutenant la prétendue blessée ; le troisième repoussa précipitamment les verrous. Serge Ladko était seul.

Quel élan de gratitude gonfla sa poitrine pour la douce créature, qui avait eu pitié ! Grâce à elle, il était sauvé. Il lui devait la vie ; plus que la vie, la liberté.

Il était retombé, accablé, sur sa couchette. L'émotion avait été trop rude.

Son cerveau vacillait sous ce dernier coup du sort.

Le reste du jour s'écoula sans autre incident, et neuf heures sonnèrent enfin aux horloges lointaines de la ville. La nuit était tout à fait venue. De gros nuages, roulant dans le ciel, en augmentaient l'obscurité.

Dans le couloir, un bruit grandissant annonçait l'approche d'une ronde. Arrivée devant la porte, elle fit halte. Un gardien appliqua son oeil au guichet et se retira satisfait. Le prisonnier dormait, enfoncé jusqu'au menton sous sa couverture. La ronde se remit en marche. Le bruit de ses pas décrut, s'éteignit.

Le moment d'agir était arrivé.

Aussitôt, Serge Ladko sauta à bas de sa couchette, dont il disposa le matelas de manière à simuler suffisamment, dans la pénombre de la cellule, la présence d'un homme endormi. Cela fait, il se munit de sa corde, puis, s'étant glissé de nouveau de l'autre côté de la grille ; il s'enleva comme la première fois et se mit à cheval sur l'arête supérieure de la hotte.

Les bandeaux qui décoraient le bâtiment étant situés à la hauteur de chaque plancher, Serge Ladko dominait ainsi de près de quatre mètres celui de ces ornements sur lequel il s'agissait de prendre pied. Il avait prévu cette difficulté. Embrassant l'un des barreaux de la grille avec la corde dont il garda en main les deux extrémités, il se laissa glisser sans trop de peine jusqu'à la saillie extérieure.

Le dos appliqué à la muraille, cramponné de la main gauche à la corde qui le supportait, le fugitif se reposa un instant. Comment garder l'équilibre sur cette surface étroite ? A peine aurait-il lâché son soutien, qu'il irait s'abîmer sur le sol du chemin de ronde.

Prudemment, s'astreignant a des mouvements d'une extrême lenteur, il réussit à saisir la corde de la main droite, et, de la gauche, il inspecta la paroi de la hotte.

Celle-ci ne s'appliquait pas toute seule devant la fenêtre et, pour la retenir, un organe quelconque existait nécessairement. En la frôlant, sa main ne tarda pas, en effet, à rencontrer un obstacle, qu'après, un peu d'hésitation il reconnut être une patte scellée dans la maçonnerie.

Quelque faible que fût la prise offerte par cette patte, force lui était de s'en contenter. S'y accrochant du bout de ses doigts crispés, il attira lentement l'un des doubles de la corde, qui vint peu à peu retomber sur ses épaules. Désormais, les ponts étaient coupés derrière lui. L'eût-il voulu, il ne pouvait plus regagner sa cellule. Il fallait, de toute nécessité, persévérer jusqu'au bout dans son entreprise.

Serge Ladko se risqua à tourner à demi la tête vers la chaîne du paratonnerre dont il avait le plus escompté le secours. Quel ne fut pas son effroi, en constatant que près de deux mètres séparaient cette chaîne de la hotte dont il lui était, sous peine de mort, interdit de s'éloigner !

Cependant, il lui fallait prendre un parti. Debout sur cette étroite saillie, le dos appliqué contre la muraille, retenu au-dessus du vide par un misérable morceau de fer que l'extrémité de ses doigts avait peine à saisir, il ne pouvait s'éterniser dans cette situation. Dans quelques minutes, ses doigts lassés relâcheraient leur étreinte, et ce serait alors la chute inévitable. Mieux valait ne périr qu'après un dernier effort vers le salut.

S'inclinant du côté de la fenêtre, le fugitif replia son bras gauche comme un ressort prêt à se détendre, puis, abandonnant tout appui, il se repoussa violemment vers la droite.

Il tomba.

Son épaule heurta la saillie du bandeau. Mais, grâce à l'élan qu'il s'était donné, ses mains étendues avaient enfin atteint le but. La première difficulté était vaincue. Restait à vaincre la seconde.

Serge Ladko se laissa glisser le long de la chaîne et s'arrêta sur l'un des crampons qui la fixaient à la muraille. Là, il fit une courte halte et s'accorda le temps de la réflexion.

Le sol était invisible dans la nuit, mais, d'en bas, arrivait jusqu'au fugitif le bruit d'un pas régulier. Un soldat montait évidemment la garde. A en juger par ce bruit croissant et décroissant tour à tour, la sentinelle, après avoir suivi la fraction du chemin de ronde longeant cette partie de la prison, tournait ensuite dans la prolongation de ce chemin qui passait devant une autre façade du bâtiment, puis revenait, pour recommencer sans interruption son va-et-vient. Serge Ladko calcula que l'absence du soldat durait de trois à quatre minutes. C'est donc dans ce délai que la distance le séparant de la muraille extérieure devait être franchie.

S'il devinait, au-dessous de lui, la crête de cette muraille dont la blancheur se découpait vaguement dans l'ombre, il ne pouvait distinguer les pierres en saillie qui en décoraient le sommet.

Serge Ladko, se laissant glisser un peu plus bas, s'arrêta à l'un des crampons inférieurs. De ce point, il dominait encore de deux ou trois mètres le sommet de la muraille qu'il s'agissait de franchir.

Solide, désormais, il lui était permis de procéder par mouvements plus rapides. Il ne lui fallut qu'un instant pour dérouler sa corde, la faire passer derrière la chaîne du paratonnerre et en nouer les deux bouts de manière à la transformer en une corde sans fin.

La longueur nécessaire approximativement calculée, il en lança ensuite au-dessus de la muraille de clôture, puis en ramena à lui l'extrémité en forme de boucle, comme il l'aurait fait avec un lasso, en s'efforçant de saisir une des pierres en saillie dont la muraille était extérieurement ornée.

L'entreprise était difficile. Au milieu de cette obscurité profonde, qui lui cachait le but, il ne pouvait compter que sur le hasard.

Plus de vingt fois la corde avait été lancée sans résultat, quand elle opposa enfin une résistance. Serge Ladko insista en vain. La prise était bonne et ne céda pas. La tentative avait donc réussi. La boucle terminale s'était enroulée autour d'un des bossages extérieurs, et une sorte de passerelle était maintenant jetée au-dessus du chemin de ronde.

Passerelle fragile à coup sûr ! N'allait-elle pas se rompre ou se détacher de la pierre qui la retenait ? Dans le premier cas, ce serait une épouvantable chute de dix mètres de hauteur ; dans le second, ramené contre le mur de la prison à la manière d'un balancier, son fardeau humain viendrait s'y écraser.

Pas un instant, Serge Ladko n'hésita devant la possibilité de ce danger. Sa corde fortement tendue, il en réunit de nouveau les deux extrémités, puis, prêt à s'élancer, il prêta l'oreille aux pas du soldat de garde.

Celui-ci était précisément juste en dessous du fugitif. Il s'éloignait. Bientôt, il tourna le coin du bâtiment et le bruit de ses pas s'éteignit. Il fallait, sans perdre une seconde, profiter de son absence.

Serge Ladko s'avança sur le chemin aérien. Suspendu entre ciel et terre, il avançait d'un mouvement égal et souple, sans s'inquiéter du fléchissement de la corde, dont la courbure s'accentuait à mesure qu'il approchait du milieu du parcours.

Il voulait passer. Il passerait.

Il passa. En moins d'une minute, le vertigineux abîme franchi, il atteignait la crête de la muraille.

Sans y prendre de repos, il se hâta de plus en plus, enfiévré par la certitude du succès. Dix minutes à peine s'étaient écoulées depuis qu'il avait quitté sa cellule, mais ces dix minutes lui semblaient avoir duré plus d'une heure, et il redoutait qu'une ronde ne vînt l'inspecter. Son évasion ne serait-elle pas découverte alors, malgré la manière dont il avait disposé sa couchette ? Il importait d'être loin auparavant. La barge était là, à deux pas de lui ! Quelques coups d'aviron suffiraient à le mettre hors de l'atteinte de ses persécuteurs.

Interrompant son travail à chaque passage du soldat de garde, Serge Ladko dénoua fébrilement sa corde, la ramena à lui en hâlant sur l'un des brins, puis, la doublant de nouveau et entourant de la boucle ainsi formée l'une des saillies intérieures, il commença sa descente, après s'être assuré que la rue était déserte.

Arrivé heureusement à terre, il fît aussitôt retomber la corde à ses pieds et la roula en paquet. Tout était terminé. Il était libre, et aucune trace ne subsisterait de son audacieuse évasion.

Mais, comme il allait partir à la recherche de sa barge, une voix s'éleva tout à coup dans la nuit.

«Parbleu ! prononçait-on à moins de dix pas, c'est M. Ilia Brusch, ma parole !

Serge Ladko eut un tressaillement de plaisir. Le sort décidément se déclarait en sa faveur puisqu'il lui envoyait le secours d'un ami.

—M. Jaeger !» s'écria-t-il d'une voix joyeuse, tandis qu'un passant sortait de l'ombre et se dirigeait vers lui.

XV - PRÈS DU BUT.

Le 10 octobre, l'aube se leva pour la neuvième fois, depuis que la barge avait recommencé à descendre le Danube. Pendant les huit jours précédents, près de sept cents kilomètres avaient été laissés en arrière. On approchait de Roustchouk, où l'on arriverait avant le soir.

A bord, rien ne semblait changé. La barge transportait, comme autrefois, les deux mêmes compagnons : Serge Ladko et Karl Dragoch, redevenus, l'un le pêcheur Ilia Brusch, l'autre, le débonnaire M. Jaeger.

Toutefois, la manière dont le premier jouait maintenant son rôle rendait plus difficile à soutenir celui du second. Hypnotisé par le désir de se rapprocher de Roustchouk, manoeuvrant l'aviron jour et nuit, Serge Ladko négligeait, en effet, les précautions les plus élémentaires. Non seulement il s'était débarrassé de ses lunettes, mais encore, supprimant rasoir et teinture, il permettait aux changements survenus dans sa personne pendant la durée de sa détention de s'accuser avec une netteté croissante. Ses cheveux noirs pâlissaient de jour en jour, et sa barbe blonde commençait à atteindre une longueur respectable.

Il eût été naturel que Karl Dragoch manifestât quelque étonnement d'une pareille transformation. Celui-ci ne disait rien pourtant. Décidé à suivre jusqu'au bout la voie dans laquelle il s'était engagé, il avait pris le parti de ne rien voir de ce qui pouvait être gênant.

Au moment où il s'était trouvé face à face avec Serge Ladko, les opinions antérieures de Karl Dragoch étaient fortement ébranlées, et il se sentait moins enclin à admettre la culpabilité de son ancien compagnon de voyage.

L'incident provoqué par la commission rogatoire de Szalka avait été la première cause de ce revirement.

Karl Dragoch avait, en effet, procédé à son enquête personnelle. Plus difficile à satisfaire que le commissaire de police de Gran, il avait longuement interrogé les habitants de la ville, et les réponses obtenues n'avaient pas été sans le troubler.

Qu'un nommé Ilia Brusch, dont la vie était au demeurant des plus régulières, eût élu domicile à Szalka et qu'il l'eût quittée peu de temps avant le concours de Sigmaringen, ce premier point n'était pas contestable. Cet Ilia Brusch avait-il été revu après ce concours, et notamment dans la nuit du 28 au 29 août ? Sur ce deuxième point, les témoignages furent évasifs. Si les plus proches voisins croyaient bien se rappeler que, vers la fin d'août, ils avaient remarqué de la lumière dans la maison du pêcheur alors fermée depuis plus d'un mois, ils n'osèrent cependant rien affirmer. Ces renseignements, tout vagues et hésitants qu'ils fussent, augmentèrent naturellement les perplexités du policier.

Restait un troisième point à élucider. Quel était le personnage à qui le commissaire de Gran avait parlé au domicile indiqué par le prévenu ? A cet égard, Dragoch ne put recueillir aucune indication. Ilia Brusch étant assez connu à Szalka, il fallait nécessairement, s'il y était venu, qu'il fût arrivé et reparti pendant la nuit, puisque personne ne l'avait aperçu. Un tel mystère, déjà suspect par lui-même, le devint bien davantage, quand Karl Dragoch eut mis la main sur le tenancier d'une petite auberge, auquel, dans la soirée du 12 septembre, trente-six heures avant la visite du commissaire de police de Gran, un inconnu avait demandé l'adresse d'Ilia Brusch. Le problème se compliquait. Il se compliqua encore, quand cet aubergiste, pressé de questions, eut donné de l'inconnu un signalement correspondant traits pour traits à celui que, d'après la rumeur publique, il convenait d'attribuer au chef de la bande du Danube.

Tout ceci rendit Karl Dragoch rêveur.

Il flaira des choses louches. Il eut le sentiment instinctif d'être en présence de quelque machination ténébreuse dont le but lui demeurait inconnu, mais dont il n'était pas impossible que le prévenu fût la victime.

Cette impression se trouva fortifiée, quand, à son retour à Semlin, il connut la marche de l'instruction. En somme, après vingt jours de secret, elle n'avait pas fait un pas. Aucun complice n'avait été découvert, nul témoin n'avait formellement reconnu le prisonnier, contre lequel il n'existait toujours d'autre charge que le fait d'avoir cherché à modifier l'aspect de son visage et d'avoir possédé un portrait de femme sur lequel figurait le nom de Ladko.

Ces présomptions, qui, corroborées par d'autres, eussent eu une grande valeur, perdaient, isolées, beaucoup de leur importance. Peut-être, après tout, ce déguisement et la présence du portrait avaient-ils une cause avouable.

Karl Dragoch, dans cet état d'esprit, était particulièrement accessible à la pitié. C'est pourquoi il n'avait pu s'empêcher d'être profondément ému par la naïve confiance de Serge Ladko, dans une circonstance où celui-ci aurait été excusable de se défier de son plus intime ami.

Etait-il impossible, d'ailleurs, de mettre ce sentiment de pitié d'accord avec ses devoirs professionnels en reprenant comme devant sa place dans la barge ? Si Ilia Brusch se nommait en réalité Ladko, et si ce Ladko était bien un malfaiteur, Karl Dragoch, en s'attachant à lui, dépisterait ses complices. Innocent, au contraire, peut-être conduirait-il quand même au vrai coupable, auquel l'incident de Szalka eût prouvé, dans ce cas, qu'il portait ombrage.

Ces raisonnements, un peu spécieux, n'étaient pas dénués de toute logique.

L'aspect misérable de Serge Ladko, le courage surhumain qu'il avait dû déployer pour accomplir sa fantastique évasion, et surtout le souvenir du service autrefois rendu avec tant d'héroïque simplicité, firent le reste. Karl Dragoch devait la vie à ce malheureux qui haletait devant lui, les mains en sang, la sueur ruisselant sur son visage décharné. Allait-il, en retour, le rejeter dans l'enfer ? Le détective ne put s'y résoudre.

«Venez !» dit-il simplement en réponse à l'exclamation joyeuse du fugitif, qu'il entraîna vers le fleuve.

Peu de paroles avaient été échangées entre les deux compagnons pendant les huit jours qui venaient de s'écouler. Serge Ladko gardait généralement le silence et concentrait toutes les forces de son être pour accroître la vitesse de l'embarcation.

En phrases hachées, qu'il fallait lui arracher en quelque sorte, il fit toutefois le récit de ses inexplicables aventures depuis le confluent de l'Ipoly. Il raconta sa longue détention dans la prison de Semlin, succédant à une séquestration plus étrange encore à bord d un chaland inconnu. Ils mentaient donc, ceux qui prétendaient l'avoir vu entre Budapest et Semlin, puisque, durant tout ce parcours, il avait été enfermé, pieds et mains liés, dans ce chaland.

À ce récit, les opinions primitives de Karl Dragoch évoluèrent de plus en plus. Malgré lui, il établissait un rapprochement entre l'agression dont Ilia Brusch avait été victime et l'intervention d'un sosie à Szalka. A n'en pas douter, le pêcheur gênait quelqu'un et était en butte aux coups d'un ennemi inconnu, mais dont le signalement semblait correspondre à celui du véritable bandit.

Ainsi, peu à peu, Karl Dragoch s'acheminait vers la vérité.

Hors d'état de contrôler ses déductions, il sentait du moins décroître de jour en jour les soupçons autrefois conçus.

Pas un instant, néanmoins, il ne songea à quitter la barge pour revenir en arrière et recommencer son enquête sur nouveaux frais. Son flair de policier lui disait que la piste était bonne, et que le pêcheur, innocent peut-être, était d'une manière ou d'autre mêlé à l'histoire de la bande du Danube. La tranquillité était parfaite, d'ailleurs, sur le haut fleuve, et la succession des crimes commis prouvait que leurs auteurs avaient, eux aussi, descendu le courant, au moins jusqu'aux environs de Semlin. Il y avait donc toutes chances pour qu'ils eussent continué à le descendre pendant la détention d'Ilia Brusch.

Sur ce point, Karl Dragoch ne se trompait pas. Ivan Striga continuait, en effet, à se rapprocher de la mer Noire, avec douze jours d'avance sur la barge au départ de Semlin. Mais, ces douze jours d'avance, il les perdait peu à peu, la distance séparant les deux bateaux diminuait graduellement, et, jour par jour, heure par heure, minute par minute, la barge gagnait implacablement sur le chaland, sous l'effort furieux de Serge Ladko.

Celui-ci n'avait qu'un but : Roustchouk ; qu'une idée : Natcha. S'il négligeait les précautions autrefois prises pour protéger son incognito, c'est qu'il n'y pensait vraiment plus. D'ailleurs, de quel intérêt eussent-elles été maintenant ? Après son arrestation, après son évasion, s'appeler Ilia Brusch devait être aussi compromettant que de s'appeler Serge Ladko. Sous un nom ou sous un autre, il ne pouvait plus désormais s'introduire que secrètement à Roustchouk, sous peine d'être appréhendé sur-le-champ.

Absorbé par son idée fixe, il n'avait, pendant ces huit jours, accordé aucune attention aux rives du fleuve.

S'il s'était aperçu qu'on passât devant Belgrade—la ville blanche—étagée sur une colline, que domine le palais du prince, le Konak, et précédée d'un faubourg où viennent transiter une immense quantité de marchandises, c'est parce que Belgrade indique la frontière serbe où expiraient les pouvoirs de M. Izar Rona. Mais, ensuite, il ne remarqua plus rien.

Il ne vit, ni Semendria, ancienne capitale de la Serbie, célèbre par les vignobles dont elle est entourée ; ni Colombals, où l'on montre une caverne dans laquelle Saint-Georges aurait, d'après la légende, déposé le corps du dragon tué de ses propres mains ; ni Orsova, au delà de laquelle le Danube coule entre deux anciennes provinces turques, devenues depuis royaumes indépendants ; ni les Portes de Fer, ce défilé fameux bordé de murailles verticales de quatre cents mètres, où le Danube se précipite et se brise avec fureur contre les blocs dont son lit est semé ; ni Widdin, première ville bulgare de quelque importance ; ni Nikopoli, ni Sistowa, les deux autres cités notoires qu'il lui fallut dépasser en amont de Roustchouk.

De préférence, il longeait la rive serbe, où il s'estimait plus en sûreté, et en effet, jusqu'à la sortie des Portes de Fer, il ne fut pas inquiété par la police.

Ce fut seulement à Orsava que, pour la première fois, un canot de la brigade fluviale intima à la barge l'ordre de s'arrêter. Serge Ladko, très inquiet, obéit en se demandant ce qu'il répondrait aux questions qu'on allait inévitablement lui poser.

On ne l'interrogea même pas. Sur un mot de Karl Dragoch, le chef du détachement s'inclina avec déférence et il ne fut plus question de perquisition.

Le pilote ne songea pas à s'étonner qu'un bourgeois de Vienne disposât à son gré de la force publique.

Trop heureux de s'en tirer à si bon compte, il trouva toute naturelle une omnipotence qui s'exerçait à son profit, et il ne manifesta pas plus de surprise, mais simplement une impatience grandissante, en voyant se prolonger l'entretien entre l'agent et son passager.

Conformément aux ordres, tant de M. Izar Rona, furieux de l'évasion de son prévenu, que de Karl Dragoch lui-même, la police du fleuve avait redoublé de vigueur. De distance en distance, on obligeait la navigation à franchir une série de barrages, parmi lesquels celui d'Orsova était d'une importance capitale. L'étranglement du fleuve en cette partie de son cours facilitant la surveillance, il était impossible, en effet, qu'aucun bateau réussît à passer sans avoir été minutieusement visité.

Karl Dragoch, en interrogeant son subordonné, eut l'ennui d'apprendre à la fois, et que ces perquisitions n'avaient donné aucun résultat, et qu'un nouveau crime, un cambriolage d'une certaine gravité, venait d'être commis deux jours auparavant en territoire roumain, au confluent du Jirel, presque exactement en face de la ville bulgare de Rahowa.

Ainsi donc, la bande du Danube avait réussi a passer entre les mailles du filet. Cette bande ayant coutume de s'approprier non seulement l'or et l'argent, mais les objets précieux de toute nature, son butin devait être d'un volume encombrant, et il était vraiment inconcevable qu'on n'en eût pas trouvé trace, alors qu'aucun bateau n'avait pu échapper à la visite.

Il en était cependant ainsi.

Karl Dragoch était stupéfait d'une telle virtuosité. Toutefois, il fallait bien se rendre à l'évidence, les malfaiteurs prouvant eux-mêmes par des attentats leur descente vers l'aval.

La seule conclusion à tirer de ces faits, c'est qu'il convenait de se hâter.

Le lieu et la date du dernier vol signalé indiquaient que ses auteurs avaient moins de trois cents kilomètres d'avance. En tenant compte du temps pendant lequel Ilia Brusch avait été immobilisé, temps que la bande du Danube avait certainement mis à profit, il fallait en inférer que sa vitesse était à peine la moitié de celle de la barge. Il n'était donc pas impossible de l'atteindre à la course.

On repartit donc sans plus attendre et, dès les premières heures du 6 octobre, la frontière bulgare était franchie. A partir de ce point,

Serge Ladko qui, jusque-là, avait suivi de son mieux la rive droite, serra au contraire le plus possible le bord roumain dont, à partir de Lom-Palamka, une succession de marais de huit à dix kilomètres de large n'allait pas tarder, d'ailleurs, à interdire l'approche.

Quelque absorbé qu'il fût en lui-même, le fleuve, depuis qu'on était entré dans les eaux bulgares, n'avait pu manquer de lui paraître suspect. Un certain nombre de chaloupes à vapeur, de torpilleurs même, voire de canonnières, battant pavillon ottoman, le sillonnaient en effet. En prévision de la guerre qui allait, moins d'un an plus tard, éclater avec la Russie, la Turquie commençait déjà à surveiller le Danube, qu'elle devait peupler ensuite d'une véritable flottille.

Risque pour risque, le pilote préférait se tenir à distance de ces navires turcs, dût-il pour cela se jeter dans les griffes des autorités roumaines, contre lesquelles M. Jaeger serait peut-être capable de le protéger, comme il l'avait fait à Orsova.

L'occasion ne se présenta pas de mettre à une nouvelle épreuve le pouvoir du passager ; aucun incident ne troubla cette dernière partie du voyage, et, le 10 octobre, vers quatre heures de l'après-midi, la barge parvenait enfin à la hauteur de Roustchouk, que l'on distinguait confusément sur l'autre rive.

Le pilote gagna alors le milieu du fleuve, puis, arrêtant pour la première fois depuis tant de jours le mouvement de son aviron, il laissa tomber le grappin par le fond.

«Qu'y a-t-il ? demanda Karl Dragoch surpris.

—Je suis arrivé, répondit laconiquement Serge Ladko.

—Arrivé ?... Nous ne sommes pas encore à la mer Noire, cependant.

—Je vous ai trompé, monsieur Jaeger, déclara sans ambages Serge Ladko. Je n'ai jamais eu l'intention d'aller jusqu'à la mer Noire.

—Bah ! fit le détective dont l'attention s'éveilla.

—Non. Je suis parti dans l'idée de m'arrêter à Roustchouk. Nous y sommes.

—Où prenez-vous Roustchouk ?

—Là, répondit le pilote, en montrant les maisons de la ville lointaine.

—Pourquoi, dans ce cas, n'y allons-nous pas ?

—Parce qu'il me faut attendre la nuit. Je suis traqué, poursuivi. Dans le jour, je risquerais de me faire arrêter au premier pas.

Voilà qui devenait intéressant. Les soupçons primitivement conçus par Dragoch étaient-ils donc justifiés ?

—Comme à Semlin, murmura-t-il à demi-voix.

—Comme à Semlin, approuva Serge Ladko sans s'émouvoir, mais

pas pour les mêmes causes. Je suis un honnête homme, monsieur Jaeger.

—Je n'en doute pas, monsieur Brusch, bien qu'elles soient rarement bonnes, les raisons que l'on a de redouter une arrestation.

—Les miennes le sont, monsieur Jaeger, affirma froidement Serge Ladko.

Excusez-moi de ne pas vous les révéler. Je me suis juré à moi-même de garder mon secret. Je le garderai.

Karl Dragoch acquiesça d'un geste qui exprimait la plus parfaite indifférence. Le pilote reprit :

—Je conçois, monsieur Jaeger, que vous ne soyez pas désireux d'être mêlé à mes affaires. Si vous le voulez, je vous déposerai en terre roumaine. Vous éviterez ainsi les dangers auxquels je peux être exposé.

—Combien de temps comptez-vous rester à Roustchouk ? demanda Karl Dragoch sans répondre directement.

—Je ne sais, dit Serge Ladko. Si les choses tournent à mon gré, je serai revenu à bord avant le jour et, dans ce cas, je ne serai pas seul. S'il en est autrement, j'ignore ce que je ferai.

—Je vous suivrai jusqu'au bout, monsieur Brusch, déclara sans hésiter Karl Dragoch.

—A votre aise !» conclut Serge Ladko qui n'ajouta pas une parole.

A la nuit tombante, il reprit l'aviron et s'approcha de la rive bulgare. L'obscurité était complète quand il y accosta, un peu en aval des dernières maisons de la ville.

Tout son être tendu vers le but, Serge Ladko agissait à la manière d'un somnambule. Ses gestes nets et précis faisaient sans hésitation ce qu'il fallait faire, ce qu'il lui eût été impossible de ne pas faire. Aveugle pour tout ce qui l'entourait, il ne vit pas son compagnon disparaître dans la cabine dès que le grappin eut été ramené à bord. Le monde extérieur avait perdu pour lui toute réalité. Son rêve seul existait. Et, ce rêve, c'était, tout illuminée de soleil, en dépit de la nuit, sa maison et, dans sa maison, Natcha !...

En dehors de Natcha, il n'était plus rien sous le ciel.

Dès que l'étrave de la barge eut touché la rive, il sauta à terre, fixa solidement son amarre et s'éloigna d'un pas rapide.

Aussitôt, Karl Dragoch sortit de la cabine. Il n'y avait pas perdu son temps. Qui aurait reconnu le policier, à la silhouette énergique et sèche, dans ce balourd aux pesantes allures, merveilleuse copie d'un paysan hongrois ?

Le détective prit terre à son tour et, suivant le pilote à la piste, partit en chasse une fois de plus.

XVI - LA MAISON VIDE.

En cinq minutes Serge Ladko et Karl Dragoch eurent atteint les maisons.

Roustchouk ne possédant, à cette époque, malgré son importance commerciale, aucun éclairage public, il leur eût été difficile, s'ils en avaient eu le désir, de se faire une idée de la ville irrégulièrement groupée autour d'un vaste débarcadère, sur la périphérie duquel se tassaient des échoppes assez délabrées, à usage d'entrepôts ou de cabarets. Mais, en vérité, ils n'y songeaient guère. Le premier marchait d'un pas rapide, les yeux fixés devant lui, comme s'il eût été attiré par un but étincelant dans la nuit. Quant au second, il mettait tant d'attention à suivre le pilote, qu'il ne vit même pas deux hommes, qui débouchaient d'une ruelle au moment où il la traversait.

Dès qu'ils furent sur le chemin longeant le fleuve, ces deux hommes se séparèrent. L'un s'éloigna à droite, vers l'aval.

«Bonsoir, dit-il en bulgare.

—Bonsoir,» répondit l'autre, qui, tournant à gauche, emboîta le pas à Karl Dragoch.

Au son de cette voix, celui-ci avait tressailli. Une seconde, il hésita, en ralentissant instinctivement sa marche, puis, abandonnant sa poursuite, il s'arrêta soudain et fit volte-face.

Tout un ensemble de dons naturels ou acquis est nécessaire au policier qui a l'ambition de ne pas croupir dans les bas emplois de sa profession. Mais, la plus précieuse des multiples qualités qu'il doit posséder, c'est une parfaite mémoire de l'oeil et de l'oreille.

Karl Dragoch possédait cet avantage au plus haut degré. Ses nerfs auditifs et visuels constituaient de véritables appareils enregistreurs, et leurs sensations lumineuses ou sonores, il ne les oubliait jamais, quelle que fût la longueur du temps écoulé.

Après des mois, après des années, il reconnaissait du premier coup un visage à peine aperçu, la voix qui, une seule fois, avait fait vibrer son tympan.

Il en était précisément ainsi pour l'une de celles qu'il venait d'entendre, et, dans la circonstance présente, il n'y avait pas si longtemps qu'il s'était trouvé en face du propriétaire, pour qu'une erreur fût à redouter. Cette voix, qui, dans la clairière, au pied du mont Pilis, avait résonné à son oreille, c'était le fil conducteur vainement cherché jusqu'ici. Pour ingénieuses qu'elles pussent paraître, ses déductions relatives à son compagnon de voyage n'étaient en somme que des hypothèses. La voix, au contraire, lui apportait enfin une certitude. Entre le probable et le certain, l'hésitation était impossible, et c'est pourquoi le détective, abandonnant sa filature, s'était lancé sur une nouvelle piste.

«Bonsoir, Titcha, prononça en allemand Karl Dragoch lorsque l'homme fut arrivé à proximité.

Celui-ci s'arrêta, cherchant à percer l'obscurité de la nuit.

—Qui me parle ? interrogeait-il.

—Moi, répondit Dragoch.

—Qui ça, vous ?

—Max Raynold.

—Connais pas.

—Mais je vous connais, moi, puisque je vous ai appelé par votre nom.

—C'est juste, reconnut Titcha. Il faut même que vous ayez de bons yeux, camarade.

—Ils sont excellents, en effet.

Le dialogue fut interrompu un instant.

—Que me voulez-vous ? reprit Titcha.

—Vous parler, déclara Dragoch, à vous et à un autre.

Je ne suis à Roustchouk que pour ça.

—Vous n'êtes donc pas d'ici ?

—Non. Je suis arrivé aujourd'hui.

—Joli moment que vous avez choisi, ricana Titcha, qui faisait sans doute allusion à l'anarchie actuelle de la Bulgarie.

Dragoch, ayant esquissé un geste d'indifférence, ajouta :

—Je suis de Gran.

Titcha garda le silence.

—Vous ne connaissez pas Gran ? insista Dragoch.

—Non.

—C'est étonnant, après en être venu si près.

—Si près ?... répéta Titcha. Où prenez vous que je sois allé près de Gran ?

—Parbleu ! dit en riant Karl Dragoch, elle n'en est pas si loin, la villa Hagueneau.

Ce fut au tour de Titcha de tressaillir. Il essaya, toutefois, de payer d'audace.

—La villa Hagueneau ?... balbutia-t-il d'un ton qu'il voulait rendre plaisant. C'est juste comme pour vous, camarade. Connais pas.

—Vraiment ?.. fit ironique ment Dragoch. Et la clairière de Pilis, la connaissez-vous ?

Titcha, se rapprochant vivement, saisit le bras de son interlocuteur.

—Plus bas, donc ! dit-il sans chercher cette fois à dissimuler son émotion. Vous êtes fou de crier comme ça.

—Puisqu'il n'y a personne, objecta Dragoch.

—On ne sait jamais, répliqua Titcha, qui demanda : Enfin, que voulez-vous ?

—Parler à Ladko, répondit Dragoch sans baisser la voix.

Titcha resserra son étreinte.

—Chut ! fit-il en jetant autour de lui des regards apeurés.

Vous avez donc juré de nous faire pendre ?

Karl Dragoch se mit à rire.

—Ah bien ! dit-il, ça ne va pas être commode de nous entendre, s'il faut parler à la muette !

—Aussi, gronda sourdement Titcha, on n'a pas idée d'aborder les gens au milieu de la nuit sans crier gare. Il y a des choses qu'il vaut mieux ne pas dire en pleine rue.

—Je ne tiens pas à vous parler dans la rue, riposta Dragoch. Allons ailleurs.

—Où ?

—N'importe où. Il y a bien un cabaret dans les environs ?

—A quelques pas d'ici.

—Allons-y.

—Soit, concéda Titcha. Suivez-moi.

Cinquante mètres plus loin, les deux compagnons arrivèrent sur une petite place. En face d'eux, une fenêtre brillait faiblement dans la nuit.

—C'est là, dit Titcha.

La porte ouverte, ils entrèrent de plain-pied dans la salle déserte d'un modeste café dont une dizaine de tables garnissaient le pourtour.

—Nous serons à merveille ici, dit Dragoch.

Le patron accourait au-devant de ces clients inespérés.

—Qu'allons-nous boire ?... C'est moi qui régale, annonça le détective, en frappant sur son gousset.

—Un verre de racki ? proposa Titcha.

—Va pour le racki !... Et du genièvre ?... Ça ne vous dit rien ?

—Bon aussi, le genièvre, approuva Titcha.

Karl Dragoch se tourna vers le patron attentif aux ordres.

—Vous avez entendu, l'ami ?...

Servez-nous, et vivement !

Pendant que l'hôte s'empressait, Dragoch, d'un coup d'oeil, pesa l'adversaire qu'il allait avoir à combattre. Il l'eut vite jugé. Larges épaules, cou de taureau, front étroit mangé par d'épais cheveux gris, parfait exemplaire, en un mot, du lutteur forain de bas étage, c'était une véritable brute qu'il avait en face de lui.

Aussitôt que les bouteilles et deux verres eurent été apportés, Titcha reprit la conversation au point où elle avait débuté.

—Vous dites donc que vous me connaissez ?

—Vous en doutez ?

—Et que vous connaissez l'affaire de Gran ?

—Aussi. Nous y avons travaillé ensemble.

—Pas possible !

—Mais certain.

—Je n'y comprends rien, murmura Titcha, qui cherchait de bonne foi dans ses souvenirs. Nous n'étions que nous huit, cependant...

—Pardon, interrompit Dragoch, nous étions neuf, puisque j'y étais.

—Vous avez mis la main à la pâte ? insista Titcha mal convaincu.

—Oui, à la villa, et à la clairière pareillement. C'est même moi qui ai emmené la charrette.

—Avec Vogel ?

—Avec Vogel.

Titcha réfléchit un instant.

—Ça ne se peut pas, protesta-t-il. C'est Kaiserlick qui était avec

Vogel.

—Non, c'est moi, répliqua Dragoch sans se troubler. Kaiserlick était resté avec vous autres.

—Vous en êtes sûr ?

—Absolument, affirma Dragoch.

Titcha paraissait ébranlé.

Le bandit ne brillait pas précisément par l'intelligence. Sans s'apercevoir qu'il venait lui-même de révéler l'existence de Vogel et de Kaiserlick au prétendu Max Raynold, il considérait comme une preuve que ce dernier connût leurs noms.

—Un verre de genièvre ? proposa Dragoch.

—Ça n'est pas de refus, dit Titcha.

Puis, le verre vidé d'un trait :

—C'est curieux, murmura-t-il, à demi vaincu. C'est bien la première fois que nous mêlons un étranger à nos affaires.

—Il faut un commencement à tout, répliqua Karl Dragoch. Je ne serai plus un étranger quand j'aurai été admis dans la bande.

—Quelle bande ?

—Inutile de finasser, camarade. Puisque je vous dis que c'est convenu.

—Qu'est-ce qui est convenu ?

—Que je serai des vôtres.

—Convenu avec qui ?

—Avec Ladko.

—Taisez-vous donc, interrompit rudement Titcha. Je vous ai déjà prévenu qu'il fallait garder ce nom-là pour vous.

—Dans la rue, objecta Dragoch. Mais ici ?

—Ici comme ailleurs, dans toute la ville, s'entend.

—Pourquoi ? demanda Dragoch suivant la veine.

Mais Titcha conservait un reste de méfiance.

—Si on vous le demande, répondit-il prudemment, vous direz que vous l'ignorez, camarade. Vous savez beaucoup de choses, mais vous ne savez pas tout, je le vois, et ce n'est pas à un vieux renard comme moi que vous tirerez les vers du nez.

Titcha se trompait, il n'était pas de force à lutter avec un jouteur comme Dragoch, et le vieux renard avait trouvé son maître.

La sobriété n'était pas sa qualité dominante, et le détective, aussitôt qu'il l'eut découvert, s'était ingénié à tirer parti de ce défaut à la cuirasse de l'adversaire. Ses offres répétées avaient eu raison de la résistance, d'ailleurs assez molle, du bandit. Les verres de genièvre succédaient aux verres de racki, et réciproquement. L'effet de l'alcool commençait déjà à se faire sentir. L'oeil de Titcha devenait trouble, sa langue plus lourde, sa prudence moins éveillée. Or, comme chacun sait, glissante est la route de l'ivresse, et d'ordinaire, plus on apaise la soif, plus elle grandit.

—Nous disions donc, reprit Titcha d'une voix un peu pâteuse, que c'est convenu avec le chef ?

—Convenu, déclara Dragoch.

—Il a bien fait,... le chef, affirma Titcha, qui, sous l'influence de l'ivresse, se mit à tutoyer son interlocuteur. Tu as l'air d'un bon et d'un vrai camarade.

—Tu peux le dire, approuva Dragoch en s'accordant à l'unisson.

—Seulement, voilà !... Tu ne le verras pas,... le chef.

—Pourquoi ne le verrai-je pas ?

Avant de répondre, Titcha, avisant la bouteille de racki, s'en versa coup sur coup deux rasades. Quand il eut bu, il déclara d'une voix rauque :

—Parti,... le chef.

—Il n'est pas à Roustchouk ? insista Dragoch vivement désappointé.

—Il n'y est plus.

—Plus ?.. Il y est donc venu ?

—Il y a quatre jours.

—Et maintenant ?

—Il continue à descendre jusqu'à la mer avec le chaland.

—Quand doit-il revenir ?

—Dans une quinzaine.

—Quinze jours de retard !

Voilà bien ma chance ! s'écria Dragoch.

—Ça te démange donc bien d'entrer dans la compagnie ? demanda Titcha avec un gros rire.

—Dame ! fit Dragoch. Je suis paysan, moi, et au coup de Gran j'ai touché en une nuit plus que je ne gagne en un an à travailler la terre.

—Ça t'a mis en goût, conclut Titcha en riant aux éclats.

Dragoch parut s'apercevoir que le verre de son vis-à-vis était vide, et s'empressa de le remplir.

—Mais tu ne bois pas, camarade, s'écria-t-il. A ta santé !

—A ta santé ! répéta Titcha, qui lampa son verre d'un trait.

Abondante était la moisson de renseignements recueillie par le policier. Il savait de combien d'affiliés se composait la bande du Danube : huit, au dire de Titcha ; le nom de trois d'entre eux et même de quatre, en y comprenant le chef ; sa destination : la mer, où sans doute un navire serait chargé du butin ; la base de ses opérations : Roustchouk. Quand Ladko y reviendrait, dans une quinzaine de jours, toutes les dispositions seraient prises pour qu'il fût appréhendé sur-le-champ, à moins qu'on ne réussît à mettre la main sur lui aux bouches mêmes du Danube.

Plus d'un point, toutefois, restaient encore obscurs. Karl Dragoch pensa qu'il serait peut-être possible d'élucider tout au moins l'un d'eux, en profitant de l'état d'ébriété de son interlocuteur.

—Pourquoi donc, demanda-t-il d'un ton indifférent après un instant de silence, ne voulais-tu pas tout à l'heure que je prononce le nom de Ladko ?

Tout à fait gris, décidément, Titcha eut un regard mouillé à l'adresse de son compagnon, auquel, dans une soudaine explosion de tendresse, il tendit la main.

—Je vais te le dire, balbutia-t-il, car tu es un ami, toi !

—Oui, affirma Dragoch en répondant à l'étreinte de l'ivrogne.

—Un frère.

—Oui.

—Un luron, un gars d'attaque.

—Oui.

Titcha chercha des yeux les bouteilles.

—Un coup de genièvre ? proposa-t-il.

—Il n'y en a plus, répondit Dragoch.

Estimant l'adversaire à point, et redoutant de le voir tomber ivre-mort, le détective s'était arrangé pour répandre sur le sol une bonne partie des flacons. Mais cela ne faisait pas l'affaire de Titcha qui, en apprenant l'épuisement du genièvre, fit une grimace désolée.

—Du racki, alors ? implora-t-il.

—Voilà, consentit Karl Dragoch en avançant sur la table la bouteille qui contenait encore quelques gouttes de liqueur. Mais attention, camarade !... Il ne faudrait pas nous griser.

—Moi !... protesta Titcha, qui s'adjugea le fond de la bouteille. Je le voudrais que je ne pourrais pas !

—Nous disions donc que Ladko ?... suggéra Dragoch reprenant patiemment sa marche tortueuse vers le but.

—Ladko ?... répéta Titcha qui ne savait plus de quoi il s'agissait.

—Pourquoi ne faut-il pas le nommer ?

Titcha eut un rire aviné.

—Ça t'intrigue, ça, mon fils !... C'est qu'ici Ladko se prononce Striga, voilà tout.

—Striga ?... répéta Dragoch qui ne comprenait pas.

Pourquoi Striga ?...

—Parce que c'est son nom, à cet enfant... Ainsi, toi, tu t'appelles... Au fait ! comment t'appelles-tu ?...

—Raynold.

—C'est ça... Raynold... Eh bien ! Je t'appelle Raynold... Lui, il s'appelle Striga... C'est clair.

—A Gran, cependant... insista Dragoch.

—Oh ! interrompit Titcha, à Gran, c'était Ladko... Mais, à Roustchouk, c'est Striga.

Il cligna de l'oeil d'un air malin.

—Comme ça, tu comprends, ni vu, ni connu.

Qu'un malfaiteur s'affuble d'un nom d'emprunt quand il accomplit ses méfaits, cela n'est pas pour étonner un policier, mais pourquoi ce nom de Ladko, ce même nom dont était signé le portrait trouvé dans la barge ?

—Il existe bien un Ladko pourtant, s'écria avec impatience Dragoch formulant ainsi la conclusion de sa pensée.

—Parbleu ! fit Titcha. C'est même le plus beau de l'affaire.

—Qu'est-ce que c'est que ce Ladko ?

—Une canaille, affirma énergiquement Titcha.

—Qu'est-ce qu'il t'a fait ?

—A moi ?... Rien... A Striga...

—Qu'est-ce qu'il a fait à Striga ?.

—Il lui a soufflé la femme... la belle Natcha.

Natcha ! ce même prénom qui figurait sur le portrait. Dragoch, assuré d'être sur la bonne piste, écoutait avidement Titcha qui poursuivait sans se faire prier :

—Depuis, ils ne sont pas amis, tu penses !...

C'est pour ça que Striga a pris son nom. C'est un malin, Striga.

—Tout cela, objecta Dragoch, ne me dit pas pourquoi il ne faut pas prononcer le nom de Ladko.

—Parce qu'il est malsain, expliqua Titcha... A Gran... et ailleurs, tu sais qui il désigne... Ici, c'est celui d'une espèce de pilote qui s'est mis contre le-gouvernement... Il conspire, l'imbécile... Et les rues sont pleines de Turcs à Roustchouk !

—Qu'est-il devenu ? demanda Dragoch.

Titcha fit un geste d'ignorance.

—Il a disparu, répondit-il. Striga dit qu'il est mort.

—Mort !

—Et ça doit être vrai, puisque Striga a la femme maintenant.

—Quelle femme ?

—Eh ! la belle Natcha... Après le nom, la femme... Pas contente, la colombe !... Mais Striga la tient bien à bord du chaland.

Tout s'éclaircissait pour Dragoch. Ce n'est pas en compagnie d'un vulgaire malfaiteur qu'il avait passé de si longs jours, mais avec un patriote exilé. Quelle ne devait pas être en ce moment la douleur du malheureux, n'arrivant enfin chez lui après tant d'efforts, que pour trouver sa maison vide !... Il fallait courir à son aide... Quant à la bande du Danube, Dragoch, renseigné désormais, n'aurait aucune peine à mettre ensuite la main sur elle.

—Il fait chaud !... soupira-t-il en faisant semblant d'être vaincu par l'ivresse.

—Très chaud, approuva Titcha.

—C'est le racki, balbutia Dragoch.

Titcha abattit son poing sur la table.

—Tu n'as pas la tête solide, l'enfant !... railla-t-il lourdement. Moi... tu vois... Prêt à recommencer.

—Je ne peux pas lutter, reconnut Dragoch.

—Mauviette !.. ricana Titcha. Enfin, sortons, si le coeur t'en dit.

Le patron appelé et payé, les deux compagnons se retrouvèrent sur la place. Ce changement ne parut pas favorable à Titcha. A peine à l'air libre, son ivresse s'aggrava notablement. Dragoch eut peur d'avoir forcé la dose.

—Dis donc, demanda-t-il en montrant l'aval, ce Ladko ?...

—Quel Ladko ?

—Le pilote. C'est par là qu'il demeurait ?

—Non.

Karl Dragoch se tourna du côté de la ville.

—Par la ?

—Non plus

—Par là, alors ? interrogea Dragoch en indiquant l'amont.

—Oui, balbutia Titcha.

Le détective entraîna son compagnon. Celui-ci titubait et se laissait conduire en mâchonnant des propos incohérents quand, après cinq minutes de marche, il s'arrêta brusquement, s'efforçant de reprendre son aplomb.

—Qu'est-ce qu'il disait donc, Striga, bégayait-il, que Ladko était mort ?

—Eh bien ?

—Il n'est pas mort, puisqu'il y a quelqu'un chez lui.

Et Titcha montrait, à quelques pas, des raies de lumière filtrant à travers les volets d'une fenêtre et striant la chaussée. Dragoch se hâta vers cette fenêtre. Par une fente des volets, Titcha et lui regardèrent dans la maison.

Ils aperçurent une salle de proportions modestes, mais assez confortablement meublée.

Le désordre des meubles et la couche épaisse de poussière qui les recouvrait incitaient à croire que cette salle avait été le théâtre, depuis longtemps abandonné, de quelque scène de violence. Le centre en était occupé par une grande table, sur laquelle était accoudé un homme, qui semblait réfléchir profondément. La contraction de ses doigts à demi disparus dans les cheveux en désordre exprimait éloquemment le trouble douloureux de son âme. Des yeux de cet homme, de grosses larmes coulaient.

Ainsi qu'il s'y attendait, Karl Dragoch reconnut son compagnon de voyage. Mais il ne fut pas seul à reconnaître le désespéré songeur.

—C'est lui !... murmura Titcha en faisant d'énergiques efforts pour chasser son ivresse.

—Lui ?...

—Ladko.

Titcha se passa la main sur le visage et parvint à retrouver un peu de sang-froid.

—Il n'est pas mort, la canaille... dit-il entre ses dents. Mais il n'en vaut guère mieux... Les Turcs me payeront sa peau plus cher qu'elle ne vaut... C'est Striga qui sera content !.. Ne bouge pas d'ici, camarade, dit-il en s'adressant à Karl Dragoch. S'il veut sortir, assomme-le !.. Appelle à l'aide au besoin... Moi, je vais chercher la police...

Sans attendre de réponse, Titcha s'éloigna en courant. A peine s'il faisait encore quelques zigzags. L'émotion lui avait rendu son équilibre.

Dès qu'il fut seul, le détective entra dans la maison.

Serge Ladko ne fit pas un mouvement. Karl Dragoch lui mit la main sur l'épaule.

Le malheureux releva la tête.

Mais sa pensée restait absente, et son regard vague montrait qu'il ne reconnaissait pas son passager. Celui-ci ne prononça qu'un mot :

«Natcha !...

Serge Ladko se redressa avec violence. Ses yeux flambaient, interrogateurs, rivés sur ceux de Karl Dragoch.

—Suivez-moi, dit le détective, et hâtons-nous.»

XVII - A LA NAGE.

La barge volait sur les eaux. Ivre, exalté, en proie à une sorte de rage, Serge Ladko, plus furieusement que jamais, pesait sur l'aviron. Affranchi des lois communes par la violence de son désir, à peine s'il s'accordait, chaque nuit, quelques instants de repos. Il tombait alors, assommé, dans un sommeil de plomb, dont il s'éveillait soudainement, comme appelé par un coup de cloche, deux heures plus tard, pour reprendre aussitôt son effrayant labeur.

Témoin de cette poursuite acharnée, Karl Dragoch admirait qu'un organisme humain pût être doué d'une telle force de résistance. C'était un homme, cependant, qui lui donnait ce prodigieux spectacle, mais un homme qui puisait une énergie surhumaine dans le plus affreux désespoir.

Soucieux d'épargner au malheureux pilote la plus légère distraction, le détective s'appliquait à ne pas rompre le silence. Tout ce qu'il était essentiel de dire, on l'avait dit au départ de Roustchouk. Dès que la barge eut été repoussée dans le courant, Karl Dragoch avait, en effet, donné les explications indispensables. Tout d'abord, il avait révélé sa qualité. Puis, en quelques mots brefs, il avait expliqué pourquoi il avait entrepris ce voyage, à la poursuite de la bande du Danube, à laquelle la croyance populaire attribuait pour chef un certain Ladko, de Roustchouk.

Ce récit, le pilote l'avait écouté distraitement, en manifestant une fiévreuse impatience. Que lui importait tout cela ? Il n'avait qu'une pensée, qu'un but, qu'un espoir : Natcha !

Son attention ne s'était éveillée qu'au moment où Karl Dragoch avait commencé à parler de la jeune femme, à dire comment, de la bouche de Titcha, il avait appris que Natcha descendait le cours du fleuve, prisonnière à bord d'un chaland commandé par le chef de cette bande, dont le nom réel n'était pas Ladko, mais Striga.

A ce nom, Serge Ladko avait poussé un véritable rugissement.

«Striga !» s'était-il écrié tandis que sa main crispée étreignait violemment l'aviron.

Il n'en avait pas demandé davantage. Depuis lors, il se hâtait sans répit, sans trêve, sans repos, les sourcils froncés, les yeux fous, toute son âme projetée en avant, vers le but. Ce but, il avait dans son coeur la certitude de l'atteindre. Pourquoi ? Il eût été incapable de le dire. Il en était certain, voilà tout. Le chaland dans lequel Natcha était prisonnière, il le découvrirait du premier coup d'oeil, fût-ce au milieu de mille autres. Comment ? Il n'en savait rien. Mais il le découvrirait. Cela ne se discutait pas, ne faisait pas question. Il s'expliquait maintenant pourquoi il lui avait semblé connaître celui des geôliers chargé de lui apporter ses repas pendant sa première incarcération, et pourquoi les voix entendues confusément avaient eu un écho dans son coeur. Le geôlier, c'était Titcha. Les voix, c'étaient celles de Striga et de Natcha. Et de même, le cri apporté par la nuit, c'était encore Natcha appelant inutilement à l'aide. Que ne s'était-il arrêté alors ! Que de regrets, que de remords il se fût épargnés !

A peine si, au moment de sa fuite, il avait aperçu dans l'obscurité la masse sombre de la prison flottante dans laquelle il abandonnait, sans le savoir, celle qui lui était si chère. N'importe ! cela suffirait. Il était impossible qu'il passât en vue de ce chaland sans qu'au fond de son être une voix mystérieuse ne l'en avertît.

En vérité, l'espoir de Serge Ladko était moins présomptueux qu'on ne pourrait être tenté de le croire. Ses chances d'erreur étaient, en effet, très réduites par la rareté des chalands sillonnant le Danube.

Leur nombre, qui, depuis Orsova, n'avait cessé de diminuer, était devenu tout à fait insignifiant à partir de Roustchouk, et les derniers s'étaient arrêtés à Silistrie. En aval de cette ville, que la barge eut dépassée en vingt-quatre heures, il ne resta que deux gabarres sur le fleuve, où régnaient presque exclusivement désormais les bâtiments à vapeur.

C'est qu'à la hauteur de Roustchouk le Danube est immense. S'étalant sur la rive gauche en interminables marais, son lit y dépasse deux lieues. En aval, il est plus vaste encore, et, entre Silistrie et Braïla, atteint parfois jusqu'à vingt kilomètres de largeur. Cette étendue d'eau, c'est une véritable mer, à laquelle ne manquent ni les tempêtes, ni les lames couronnées d'écume, et il est concevable que des chalands plats, peu faits pour les houles du large, hésitent à s'y aventurer.

Il était même fort heureux pour Serge Ladko que le temps restât fixé au beau. Dans une embarcation de si petite taille et de formes si peu marines, il aurait été forcé, pour peu que le vent eût soufflé avec quelque violence, de chercher refuge dans une anfractuosité de la rive.

Karl Dragoch, qui, tout en s'intéressant de grand coeur aux soucis de son compagnon, visait aussi un autre but, ne laissait pas d'être troublé en constatant le désert de cette morne étendue. Titcha ne lui avait-il pas donné un renseignement mensonger ? L'arrêt successif de tous les chalands lui faisait craindre que Striga n'eût été dans la nécessité de les imiter. Son inquiétude devint telle qu'il finit par s'en ouvrir à Serge Ladko.

«Un chaland est-il capable d'aller jusqu'à la mer ? demanda-t-il.

—Oui, répondit le pilote.

Cela arrive rarement, mais ça se voit cependant.

—Vous en avez conduit vous-même ?

—Quelquefois.

—Comment font-ils pour décharger leur cargaison ?

—En s'abritant dans une des criques qui existent au delà des bouches, et où des vapeurs viennent les trouver.

—Les bouches, dites-vous. Il y en a plusieurs, en effet.

—Il y a deux branches principales, répondit Serge Ladko. L'une, au Nord, celle de Kilia ; l'autre, plus au Sud, celle de Sulina. Cette dernière est la plus importante.

—Cela ne peut-il être pour nous une cause d'erreur ? s'enquit Karl Dragoch.

—Non, affirma le pilote. Des gens qui se cachent ne passent pas par Sulina. Nous prendrons le bras du Nord.

Karl Dragoch ne fut qu'à demi rassuré par cette réponse. Pendant que l'on suivrait une route, la bande pouvait parfaitement s'échapper par l'autre. Mais que faire contre cette éventualité, sinon s'en remettre à la chance, puisqu'on ne possédait pas le moyen de surveiller à la fois toutes les bouches du fleuve ? Comme s'il eût deviné sa pensée, Serge Ladko compléta son explication de cette manière rassurante :

—D'ailleurs, au delà de la bouche de Kilia, il existe une anse, dans laquelle un chaland peut procéder à un transbordement. Par la bouche de Sulina, il lui faudrait au contraire décharger dans le port de ce nom, qui est situé au bord même de la mer. Quant au bras Saint-Georges, qui coule plus au Sud, il est à peine navigable, bien qu'il soit le plus important au point de vue de la largeur.

Aucune erreur n'est donc à craindre.»

Dans la matinée du 14 octobre, le quatrième jour après le départ de Roustchouk, la barge parvint enfin au delta du Danube.

Laissant sur la droite le bras de Sulina, elle s'engagea franchement dans celui de Kilia. A midi, on passait devant Ismaïl, dernière ville de quelque importance que l'on dût rencontrer. Dès les premières heures du lendemain, on déboucherait dans la mer Noire.

Aurait-on rejoint auparavant le chaland de Striga ? Rien n'autorisait à le croire. Depuis qu'on avait abandonné le bras principal, la solitude du fleuve était devenue complète. Si loin que s'étendit le regard, plus une voile, plus un panache de fumée. Karl Dragoch était dévoré d'inquiétude.

Quant à Serge Ladko, s'il était inquiet, il n'en laissait rien paraître. Toujours courbé sur l'aviron, il poussait inlassablement la barge de l'avant, attentif à suivre le chenal que seule une longue pratique lui permettait de reconnaître entre les rives basses et marécageuses.

Son courage obstiné devait avoir sa récompense. Dans l'après-midi de ce même jour, vers cinq heures, un chaland apparut enfin, mouillé à une douzaine de kilomètres au-dessous de la ville forte de Kilia. Serge Ladko, arrêtant le mouvement de son aviron, saisit une longue-vue et examina attentivement ce chaland.

« C'est lui !... dit-il d'une voix étouffée en laissant retomber l'instrument.

—Vous en êtes sûr ?

—Sûr, affirma Serge Ladko. J'ai reconnu Yacoub Ogul, un habile pilote de Roustchouk, âme damnée de Striga, dont il conduit certainement le bateau.

—Qu'allons-nous faire ? demanda Karl Dragoch.

Serge Ladko ne répondit pas sur-le-champ.

Il réfléchissait. Le détective reprit :

—Il faut revenir en arrière jusqu'à Kilia et au besoin jusqu'à Ismaïl. La, nous nous procurerons du renfort.

Le pilote hocha négativement la tête.

—Remonter jusqu'à Ismaïl, en refoulant le courant, ou seulement jusqu'à Kilia, dit-il, cela demanderait trop de temps. Le chaland prendrait de l'avance, et, en mer, on ne pourrait plus le retrouver. Non, restons ici et attendons la nuit. J'ai une idée. Si je ne réussis pas, nous suivrons le chaland de loin, et, quand nous connaîtrons son lieu de relâche, nous irons chercher de l'aide à Sulina.

A huit heures, l'obscurité devenue complète, Serge Ladko laissa dériver la barge Jusqu'à deux cents mètres du chaland. Là, il mouilla silencieusement son grappin. Puis, sans un mot d'explication à Karl Dragoch qui le regardait faire avec étonnement, il quitta ses vêtements et s'élança dans le fleuve.

Fendant l'eau d'un bras robuste, il se dirigea en droite ligne vers le chaland qu'il distinguait confusément dans l'ombre. Quand il l'eut dépassé, à distance suffisante pour ne pas être aperçu, il nagea en sens contraire, et, refoulant le courant assez rapide, vint s'accrocher au large safran du gouvernail. Il écouta. Presque étouffé par le frissonnement soyeux de l'eau courant sur les flancs de la gabarre, un air de danse parvint jusqu'à lui. Au-dessus de sa tête, quelqu'un chantonnait à mi-voix. Cramponné des pieds et des mains à la surface gluante du bois, Serge Ladko s'éleva d'un lent effort jusqu'à la partie supérieure du safran et reconnut Yacoub Ogul.

A bord, tout était tranquille.

Aucun bruit ne sortait du rouf, dans lequel Ivan Striga s'était sans doute retiré. Des hommes de l'équipage, cinq devisaient paisiblement, étendus sur le pont vers l'avant. Leurs voix se fondaient en un murmure confus. Seul, Yacoub Ogul se trouvait à l'arrière. Monté au-dessus du rouf, il s'était assis sur la barre du gouvernail et se laissait bercer par la paix nocturne, en murmurant une chanson familière.

La chanson s'éteignit tout à coup. Deux mains de fer broyaient la gorge du chanteur, qui, basculant par-dessus le couronnement, vint tomber en travers du safran. Était-il mort ? Jambes et bras ballants, son corps inerte pendait comme un linge de part et d'autre de cette arête étroite. Serge Ladko desserra son étreinte et saisit l'homme par la ceinture, puis diminuant graduellement la pression de ses genoux contre le safran, il se laissa glisser peu à peu et s'enfonça silencieusement dans l'eau.

Nul, dans le chaland, n'avait soupçonné l'agression. Ivan Striga n'était pas sorti du rouf. A l'avant, les cinq causeurs continuaient leur paisible conversation.

Serge Ladko, cependant, nageait vers la barge. Le retour était plus pénible que l'aller. Outre qu'il lui fallait maintenant remonter le courant, il avait à soutenir le corps de Yacoub Ogul. Si celui-ci n'était pas mort, il n'en valait guère mieux. La fraîcheur de l'eau ne l'avait pas ranimé ; il ne faisait pas un mouvement. Serge Ladko commençait à craindre d'avoir eu la main trop lourde.

Alors que cinq minutes avaient suffi pour venir de la barge au chaland, plus d'une demi-heure fut nécessaire pour refaire le même parcours en sens inverse.

Encore le pilote eut-il la chance de ne pas s'égarer dans l'ombre.

« Aidez-moi, dit-il à Karl Dragoch en saisissant enfin l'embarcation. En voici toujours un.

Avec le secours du détective, Yacoub Ogul fut passé par-dessus bord et déposé dans la barge.

—Est-il mort ? demanda Serge Ladko.

Karl Dragoch se pencha sur le captif.

—Non, dit-il. Il respire.

Serge Ladko eut un soupir de satisfaction et, reprenant aussitôt l'aviron, commença à remonter le courant.

—Alors, attachez-le, et solidement, dit-il tout en godillant, si vous ne voulez pas qu'il vous brûle la politesse quand je vous aurai déposé à terre.

—Nous allons donc nous séparer ? demanda Karl Dragoch.

—Oui, répondit Serge Ladko. Quand vous aurez pris terre, je retournerai aux alentours du chaland, et demain je m'arrangerai pour m'introduire à bord.

—En plein jour ?

—En plein jour. J'ai mon idée. Soyez tranquille, pendant un certain temps tout au moins, je ne courrai aucun danger. Plus tard, quand nous serons près de la mer Noire, je ne dis pas que les choses ne risquent de se gâter. Mais je compte sur vous à ce moment que je retarderai le plus possible.

—Sur moi ?... Que pourrai-je donc faire ?

—M'amener du secours.

—Je m'y emploierai, n'en doutez pas, affirma chaleureusement Karl Dragoch.

—Je n'en doute pas, mais vous aurez peut-être quelque difficulté.

Vous ferez pour le mieux, voilà tout. Ne perdez pas de vue que le chaland quittera son mouillage demain à midi, et que, si rien ne l'arrête, il sera en mer vers quatre heures. Basez-vous là-dessus.

—Pourquoi ne restez-vous pas avec moi ? demanda Karl Dragoch très inquiet pour son compagnon.

—Parce que vous pouvez éprouver du retard, ce qui permettrait à Striga de prendre de l'avance et de disparaître. Il ne faut pas qu'il atteigne la mer. Et il ne l'atteindra pas, même si vous arrivez trop tard pour me prêter main-forte. Seulement, dans ce cas, il est probable que je serai mort.»

Le ton du pilote était sans réplique. Comprenant que rien ne le ferait changer d'avis, Karl Dragoch n'insista pas. La barge fut donc conduite à la rive, et Yacoub Ogul, toujours évanoui, fut déposé sur le sol.

Aussitôt, Serge Ladko poussa au large. La barge disparut dans la nuit.

XVIII - LE PILOTE DU DANUBE.

Quand Serge Ladko eut disparu dans l'ombre, Karl Dragoch hésita un instant sur ce qu'il convenait de faire. Seul, au début de la nuit, en ce point de la frontière de la Bessarabie, encombré du corps inerte d'un prisonnier dont son devoir lui interdisait de se séparer, sa situation ne laissait pas d'être fort embarrassante. Cependant, comme il était évident qu'un secours ne lui arriverait pas sans qu'il allât le chercher, il lui fallut bien prendre une décision. Le temps pressait. D'une heure, d'une minute peut-être pouvait dépendre le salut de Serge Ladko. Abandonnant provisoirement Yacoub Ogul toujours évanoui, et suffisamment ligotté, d'ailleurs, pour que la fuite lui fût interdite en cas de retour à la vie, il remonta vers l'amont aussi vite que le permettait la nature du terrain.

Après une demi-heure de marche dans un pays complètement désert, il commençait à craindre d'être obligé de pousser jusqu'à Kilia, lorsqu'il découvrit enfin une maison bâtie au bord du fleuve.

Ce ne fut pas une petite affaire que de se faire ouvrir la porte de cette maison, qui semblait être une ferme de quelque importance. A pareille heure, en pareil lieu, une certaine méfiance est excusable, et les habitants de cette demeure paraissaient peu friands d'en permettre l'entrée. La difficulté s'aggravait de l'impossibilité où l'on était de se comprendre, ces paysans parlant un patois local que Karl Dragoch, malgré son polyglotisme, ne connaissait pas. Inventant un jargon de circonstance dans lequel des mots roumains, russes et allemands figuraient chacun pour un tiers, il réussit toutefois à gagner leur confiance, et la porte si énergiquement défendue finit par s'entre-bâiller.

Une fois dans la place, il lui fallut répondre à un interrogatoire serré, dont il sortit nécessairement à son honneur, puisque deux heures ne s'étaient pas écoulées depuis son débarquement, qu'une charrette l'avait ramené prés de Yacoub Ogul.

Celui-ci n'avait pas repris connaissance. Il ne donna même aucun signe de conscience, quand, de l'herbe de la rive, il fut transporté dans la charrette, qui repartit aussitôt vers Kilia. Jusqu'à la ferme, force fut d'aller au pas, mais, au delà, on trouva un chemin, à la vérité fort mauvais, qui permit néanmoins d'activer l'allure.

Il était plus de minuit, quand, après ces péripéties, Karl Dragoch entra dans Kilia. Tout dormait dans la ville, et découvrir le chef de la police ne fut pas chose facile. Il y parvint cependant, et prit, sur lui de réveiller ce haut fonctionnaire, qui, sans manifester trop de mauvaise humeur, se mit obligeamment à sa disposition.

Karl Dragoch en profita pour faire déposer en lieu sûr Yacoub Ogul, qui commençait à ouvrir les yeux ; puis, libre de ses mouvements, il put enfin s'occuper de la capture du reste de la bande et du salut de Serge Ladko, qui le passionnait peut-être plus encore.

Dès le premier pas, il se heurta à d'insurmontables difficultés. Aucun vapeur n'était alors à Kilia, et, d'autre part, le chef de la police se refusait énergiquement à envoyer ses hommes sur le fleuve. Ce bras du Danube étant alors indivis entre la Roumanie et la Turquie, on était en droit de craindre que leur intervention ne provoquât de la part de la Sublime Porte des réclamations très regrettables à un moment où grondaient sourdement des menaces de guerre. Si le fonctionnaire roumain avait pu feuilleter le livre du Destin, il y aurait vu que cette guerre, décrétée de toute éternité, éclaterait nécessairement quelques mois plus tard, et cela l'aurait, sans doute, rendu moins timide ; mais, dans son ignorance de l'avenir, il tremblait à la pensée d'être mêlé d'une manière quelconque à des complications diplomatiques, et il se conformait au sage précepte : «Pas d'affaires», qui est, comme on ne l'ignore pas, la devise des fonctionnaires de tous les pays.

Le maximum de ce qu'il osa faire, ce fut de donner à Karl Dragoch le conseil de se rendre à Sulina et de lui indiquer l'homme capable de le conduire dans ce difficile voyage de près de cinquante kilomètres à travers le delta du Danube.

Aller réveiller cet homme, le décider, atteler la voiture, la faire passer sur la rive droite, tout cela demanda beaucoup de temps. Il était près de trois heures du matin, quand le détective fut enfin emporté au trot d'un petit cheval, dont la qualité était fort heureusement supérieure à l'apparence.

Le chef de la police de Kilia avait eu raison en représentant comme difficile la traversée du Delta. Sur des routes boueuses et parfois recouvertes de plusieurs centimètres d'eau, la voiture avançait péniblement, et, sans l'habileté du conducteur, elle se fût plus d'une fois égarée dans cette plaine où n'existe aucun point de repère. On n'avançait pas vite ainsi, et encore fallait-il de temps à autre laisser souffler le cheval exténué.

Midi sonnait comme Karl Dragoch arrivait à Sulina. Le délai fixé par Serge Ladko allait expirer dans quelques heures ! Sans prendre le temps de se restaurer, il courut se mettre en rapport avec les autorités locales.

Sulina, devenue roumaine depuis le traité de Berlin, était ville turque à l'époque de ces événements. Les relations étant alors des plus tendues entre la Sublime Porte et les puissances occidentales, Karl Dragoch, sujet hongrois, ne pouvait espérer y être persona grata, malgré la mission d'intérêt général dont il était investi. Moins mal reçu qu'il ne le craignait, il ne fut donc pas surpris de ne trouver auprès des autorités qu'une aide assez molle.

La police locale, lui dit-on, ne possédant pas d'embarcation qui lui fût spécialement affectée, il ne devait compter que sur l'aviso de la douane, dont le concours était tout indiqué dans la circonstance, une bande de voleurs pouvant, avec un peu de complaisance, être assimilée à une bande de contrebandiers. Malheureusement, cet aviso, navire à vapeur de marche d'ailleurs assez rapide, n'était pas présentement dans le port. Il croisait en mer, mais sûrement à faible distance de la côte. Karl Dragoch n'avait donc qu'à fréter une barque de pêche, et, dès qu il serait hors des jetées, il le rencontrerait sans aucun doute.

Le détective, désespéré de son impuissance, se résigna à adopter ce parti. A une heure et demie de l'après-midi, il mettait à la voile et doublait le môle, à la recherche de l'aviso. Il ne disposait plus que de cent cinquante minutes pour arriver au rendez-vous de Serge Ladko!

Celui-ci, pendant que Karl Dragoch subissait cette série de

mésaventures, poursuivait méthodiquement l'exécution de son plan.

Toute la matinée, il était resté aux aguets, sa barge dissimulée dans les roseaux de la rive, s'assurant que le chaland ne faisait aucun préparatif de départ. En s'emparant, un peu brutalement peut-être—mais il n'avait pas le choix des moyens—de Yacoub Ogul, c'est ce but précisément qu'il avait visé. Ainsi qu'il l'avait prévu, Striga n'osait s'aventurer sans guide dans une navigation des plus délicates et que l'abondance des bancs de sable rend impraticable à qui n'en a pas fait l'étude exclusive de sa vie. Il était à croire que les pirates, incapables de s'expliquer la disparition de leur pilote, saisiraient la première occasion de le remplacer. Mais les pilotes n'abondent pas sur le bras de Kilia, et, jusqu'à onze heures du matin, les eaux, si l'on fait exception du chaland toujours immobile et de la barge invisible, demeurèrent complètement désertes.

A onze heures seulement, deux embarcations apparurent du côté de la mer.

Serge Ladko, les ayant examinées avec sa longue-vue, reconnut que l'une d'elles était celle d'un pilote. Ivan Striga allait donc vraisemblablement trouver le secours qu'il devait attendre avec impatience. Le moment d'intervenir était arrivé.

La barge sortit hors des roseaux et se rapprocha du chaland.

« Oh ! du chaland !... héla Serge Ladko quand il fut à portée de la voix.

—Oh !... lui fut-il répondu.

Un homme apparut sur le rouf. Cet homme, c'était Ivan Striga.

Quelle fureur gronda dans le coeur de Serge Ladko, lorsqu'il aperçut cet ennemi acharné de son bonheur, le lâche qui, depuis tant de mois, tenait Natcha en son pouvoir !

Mais il s'attendait à cette rencontre qu'il avait cherchée. Il y était préparé. Sa fureur, il la renferma en lui-même, et, se faisant violence :

—Vous n'auriez pas besoin d'un pilote ? demanda-t-il d'une voix calme.

Au lieu de répondre, Striga, abritant ses yeux de la main, considéra un long instant celui qui l'interpellait. A vrai dire, d'un seul regard il avait été fixé sur la personnalité du nouveau venu. Mais, qu'il eût devant lui le mari de Natcha, cela lui paraissait si extraordinaire et, on peut le dire, si inespéré, qu'il hésitait devant l'évidence.

—N'êtes-vous pas Serge Ladko, de Roustchouk ? interrogea-t-il à son tour.

—C'est bien moi, répondit le pilote.

—Ne me reconnaissez-vous pas ?

—Il faudrait donc être aveugle, répliqua Serge Ladko.

Je vous reconnais parfaitement, Ivan Striga.

—Et vous me faites vos offres de service ?

—Pourquoi pas ? je suis pilote, déclara froidement Serge Ladko.

Striga balança un instant. Que celui qu'il haïssait le plus au monde vint ainsi bénévolement se mettre à sa merci, c'était trop beau. Cela ne cachait-il pas un piège ?... Mais quel danger pouvait faire courir un homme seul à un équipage nombreux et résolu ? Qu'il conduisit le chaland jusqu'à la mer, puisqu'il avait la sottise de le proposer ! Une fois en mer, par exemple !...

—Embarque ! conclut le pirate, la bouche déformée par un rictus cruel que vit distinctement Serge Ladko.

Celui-ci ne se fit pas répéter l'invitation. Sa barge accosta le chaland, à bord duquel il monta. Striga s'avança au-devant de lui.

—Me permettrez-vous, dit-il, de vous exprimer ma surprise de vous rencontrer aux bouches du Danube ?

Le pilote garda le silence.

—On vous croyait mort, reprit Striga, depuis le temps que vous avez disparu de Roustchouk.

Cette insinuation n'obtint pas plus de succès que la précédente.

—Qu'étiez-vous devenu ? interrogea Striga sans se décourager.

—Je n'ai pas quitté le voisinage de la mer, répondit enfin Serge Ladko.

—Si loin de Roustchouk ! s'exclama Striga.

Serge Ladko fronça les sourcils. Cet interrogatoire commençait à l'exaspérer. Suivant la ligne de conduite qu'il s'était tracée, il refréna toutefois son impatience et expliqua posément :

—Les périodes troublées ne sont pas favorables aux affaires.

Striga le considéra d'un oeil narquois.

—Et l'on vous disait patriote ! s'écria-t-il avec ironie.

—Je ne fais plus de politique, dit sèchement Serge Ladko.

A ce moment, le regard de Striga tomba sur la barge, que le courant avait fait éviter à l'arrière du chaland. Il tressaillit violemment. Il ne pouvait se tromper. C'était bien cette barge, dont il s'était servi lui-même pendant huit jours, et qu'il avait retrouvée amarrée au quai de Semlin. Serge Ladko mentait donc quand il prétendait ne pas avoir quitté le delta du Danube ?

—Depuis que vous avez quitté Roustchouk, vous ne vous êtes pas éloigné de ces parages ? insista Striga en scrutant de l'oeil son interlocuteur.

—Non, répondit Serge Ladko.

—Vous m'étonnez, fit Striga.

—Pourquoi ? Avez-vous cru me rencontrer ailleurs ?

—Vous, non. Mais cette embarcation... Je jurerais l'avoir vue sur le haut fleuve.

—C'est bien possible, répondit Serge Ladko avec indifférence. Je l'ai achetée, il y a trois jours, d'un homme qui disait arriver de Vienne.

—Comment était cet homme ? demanda vivement Striga dont les soupçons évoluaient vers Karl Dragoch.

—Un brun, avec des lunettes.

—Ah !... fit Striga tout songeur.

Les réponses du pilote l'avaient visiblement ébranlé. Il ne savait plus ce qu'il devait croire. Mais il ne tarda pas à libérer son esprit de toute préoccupation. Qu'importait après tout ? Que Serge Ladko dît ou ne dît pas la vérité, il n'en était pas moins entre ses mains.

L'imbécile, qui se jetait ainsi dans la gueule du loup !... Entré sur le chaland, il n'en sortirait pas vivant. Voilà des mois que Striga mentait en affirmant à Natcha qu'elle était veuve. Dès qu'on serait en mer, ce mensonge deviendrait une vérité.

—Partons ! dit-il en manière de conclusion à ses pensées.

—A midi, répondit tranquillement Serge Ladko qui, sortant des provisions d'un sac qu'il portait à la main, se mit en devoir de déjeuner.

Le pirate eut un geste d'impatience. Serge Ladko feignit de n'en rien voir.

—Je dois vous prévenir, dit Striga, que je tiens à être à la mer avant la nuit.

—Nous y serons,» affirma le pilote, sans montrer la moindre velléité de modifier sa décision.

Striga s'éloigna vers l'avant. A en juger par l'expression réfléchie de son visage, il lui restait un souci. Que le mari s'offrit à conduire précisément le chaland dans lequel sa femme était retenue prisonnière, cette coïncidence était tout de même par trop extraordinaire. Certes, rien ne pouvant empêcher que Serge Ladko ne fût seul à bord contre six hommes déterminés, Striga eût sagement fait en ne cherchant pas plus loin. Mais il se tenait en vain ce raisonnement irréfutable. C'était pour lui un besoin de savoir si la disparition de Natcha était connue du principal intéressé. Sa curiosité surexcitée ne lui laissa pas de cesse qu'il n'y eût cédé.

«Avez-vous reçu des nouvelles de Roustchouk depuis que vous l'avez quitté ? demanda-t-il en revenant vers le pilote qui continuait paisiblement son repas.

—Jamais, répondit celui-ci.

—Ce silence ne vous a pas surpris ?

—Pourquoi m'aurait-il surpris ? demanda Serge Ladko en fixant son interlocuteur.

Quelle que fût son audace, celui-ci se sentit gêné sous ce ferme regard.

—Je croyais, balbutia-t-il, que vous y aviez laissé votre femme.

—Et moi je crois, répliqua froidement Serge Ladko, qu'un autre sujet de conversation serait préférable entre nous.»

Striga se le tint pour dit.

Quelques minutes après midi, le pilote donna l'ordre de lever l'ancre, puis, la voile hissée et bordée, il prit lui-même la barre. A ce moment Striga s'approcha de lui.

«Je dois vous prévenir, lui dit-il, que le chaland a besoin de fond.

—Il est sur lest, objecta Serge Ladko. Deux pieds d'eau doivent suffire.

—Il en faut sept, affirma Striga.

—Sept ! s'écria le pilote, pour qui ce seul mot était une révélation.

Voilà donc pourquoi la bande du Danube avait échappé jusqu'ici à toutes les poursuites ! Son bateau était habilement truqué. Ce qu'on en apercevait hors de l'eau n'était qu'une trompeuse apparence. Le véritable chaland était sous-marin, et c'est dans cette cachette qu'était déposé le produit de ses rapines. Cachette qui pouvait, au besoin, Serge Ladko le savait par expérience, se transformer en inviolable cachot.

—Sept, avait répété Striga en réponse. à l'exclamation du pilote.

—C'est bien,» dit celui-ci sans faire d'autre observation.

Pendant les premiers moments qui suivirent le départ, Striga, qui conservait malgré tout un reste d'inquiétude, ne se départit pas d'une surveillance rigoureuse. Mais l'attitude de Serge Ladko était de nature à le rassurer.

Très appliqué à ses fonctions, il ne nourrissait visiblement aucun mauvais dessein et prouvait que sa réputation d'habileté était amplement justifiée. Sous sa main, le chaland évoluait docilement entre les bancs invisibles et suivait avec une précision mathématique les sinuosités de la passe.

Peu à peu, les dernières craintes du pirate s'évanouirent. La navigation se poursuivait sans incident. Bientôt on atteindrait la mer.

Il était quatre heures quand on l'aperçut. Après un dernier coude du fleuve, le ciel et l'eau se rejoignirent à l'horizon.

Striga interpella le pilote.

«Nous voici parés, je pense ? dit-il. Ne pourrait-on rendre la barre au timonier habituel ?

—Pas encore, répondit Serge Ladko. Le plus difficile n'est pas fait.»

A mesure qu'on gagnait vers l'embouchure, un champ plus vaste était offert à la vue. Placé au sommet mouvant de cet angle dont les branches s'ouvraient peu à peu, Striga tenait son regard obstinément dirigé vers la mer. Tout à coup, il saisit une longue-vue, la braqua sur un petit vapeur de quatre à cinq cents tonneaux qui doublait la pointe Nord, puis, après un bref examen, donna l'ordre de hisser un pavillon en tête de mât. On répondit aussitôt par un signal pareil à bord du vapeur, qui, venant sur tribord, commença à se rapprocher de l'estuaire.

A ce moment, Serge Ladko ayant poussé la barre toute à bâbord, le chaland abattit sur tribord, et, coupant obliquement le courant, prit son erre vers le Sud-Est, comme pour aborder la rive droite.

Striga étonné, regarda le pilote dont l'impassibilité le rassura.

Un dernier banc de sable obligeait sans doute les bateaux à suivre cette route capricieuse.

Striga ne se trompait pas. Oui, un banc de sable gisait en effet dans le lit du fleuve, mais non pas du côté de la mer, et c'est droit sur ce banc que Serge Ladko gouvernait d'une main ferme.

Soudain, il y eut un formidable craquement. Le chaland en fut ébranlé jusque dans ses fonds. Sous le choc, le mât vint en bas, cassé net au ras de l'emplanture, et la voile s'abattit en grand, recouvrant de ses larges plis les hommes qui se trouvaient à l'avant. Le chaland, irrémédiablement engravé, demeura immobile.

A bord, tout le monde avait été renversé, y compris Striga, qui se releva ivre de rage.

Son premier regard fut pour Serge Ladko. Le pilote ne paraissait pas ému de l'accident. Il avait lâché la barre, et, les mains enfoncées dans les poches de sa vareuse, il surveillait son ennemi, le regard attentif à ce qui allait suivre.

« Canaille ! » hurla Striga, qui, brandissant un revolver, courut vers l'arrière.

A la distance de trois pas, il tira.

Serge Ladko s'était baissé. La balle passa au-dessus de lui sans l'atteindre. Aussitôt redressé, il fut d'un bond sur son adversaire, que son couteau frappa au coeur. Ivan Striga s'écroula comme une masse.

Le drame s'était déroulé si rapidement, que les cinq hommes de l'équipage, embarrassés, d'ailleurs, dans les plis de la voile, n'avaient pas eu le temps d'intervenir. Mais quel hurlement ils poussèrent en voyant tomber leur chef !

Serge Ladko, s'élançant à l'avant du spardeck, se précipita à leur rencontre.

De la, il dominait le pont, sur lequel les hommes accouraient en tumulte.

«Arrière ! cria-t-il, les deux mains armées de revolvers, dont l'un venait d'être arraché à Striga.

Les hommes s'arrêtèrent. Ils n'avaient point d'armes, et, pour s'en procurer, il leur fallait pénétrer dans le rouf, c'est-à-dire passer sous le feu de l'ennemi.

—Un mot, camarades, reprit Serge Ladko sans quitter son attitude menaçante. J'ai là onze coups. C'est plus qu'il n'en faut pour vous descendre tous jusqu'au dernier. Je vous préviens que je tire, si vous ne reculez pas immédiatement vers l'avant.

L'équipage se consulta, indécis. Serge Ladko comprit que, s'ils se ruaient tous à la fois, il arriverait bien sans doute à en abattre quelques-uns, mais qu'il serait lui-même abattu par les autres.

—Attention !... Je compte jusqu'à trois, annonça-t-il, sans leur laisser le temps de la réflexion. Un !...

Les hommes ne bougèrent pas.

—Deux !... prononça le pilote.

Il y eut un mouvement dans le groupe. Trois hommes ébauchèrent une velléité d'attaque. Deux commencèrent à battre, en retraite.

—Trois !...» dit Serge Ladko en pressant la détente.

Un homme tomba, l'épaule traversée d'une balle. Ses compagnons s'empressèrent de prendre la fuite.

Serge Ladko, sans quitter son poste d'observation, jeta un regard vers le vapeur qui avait obéi au signal de Striga. Le bâtiment était maintenant à moins d'un mille. Lorsqu'il serait bord à bord avec le chaland, lorsque son équipage se serait joint aux pirates, dont il était nécessairement plus ou moins complice, la situation deviendrait des plus graves.

Le steamer approchait toujours.

Il n'était plus qu'à trois encablures, quand, évoluant brusquement sur tribord, il décrivit un grand cercle et s'éloigna vers la haute mer. Que signifiait cette manoeuvre ? Avait-il donc été inquiété par quelque chose que Serge Ladko ne pouvait apercevoir ?

Celui-ci, le coeur battant, attendit. Quelques minutes s'écoulèrent, et un autre vapeur surgit hors de la pointe du Sud. Sa cheminée vomissait des torrents de fumée. Le cap droit sur le chaland, il arrivait à toute vitesse. Bientôt, Serge Ladko put reconnaître à l'avant une figure amie, celle de son passager, M. Jaeger, celle du détective Karl Dragoch. Il était sauvé.

Un instant plus tard, le pont de la gabarre était envahi par la police, et son équipage se rendait, sans essayer une résistance inutile.

Pendant ce temps, Serge Ladko s'était précipité dans le rouf. L'une après l'autre, il en visita les cabines. Une seule porte était fermée. Il la renversa d'un coup d'épaule et s'arrêta sur le seuil, éperdu.

Natcha, reconquise, lui tendait les bras.

XIX - ÉPILOGUE.

Le procès de la bande du Danube passa inaperçu dans le flamboiement de la guerre russo-turque. Les brigands, y compris Titcha aisément cueilli à Roustchouk, furent pendus haut et court, sans éveiller dans le public l'attention qu'en de moins tragiques circonstances on eût accordé à leur exécution.

—-Toutefois, les débats donnèrent aux principaux intéressés l'explication de ce qui était resté jusqu'ici incompréhensible pour eux. Serge Ladko sut par suite de quel quiproquo il avait été emprisonné dans le chaland en lieu et place de Karl Dragoch, et comment Striga, ayant appris par les journaux l'envoi d'une commission rogatoire à Szalka, s'était introduit dans la maison du pêcheur Ilia Brusch, pour répondre aux questions du commissaire de police de Gran.

Il sut également comment Natcha, enlevée par la bande du Danube, avait eu à lutter contre les attaques de Striga, qui, se croyant certain d'avoir abattu son ennemi, ne cessait de lui affirmer qu'elle était veuve. Un soir notamment, Striga, à l'appui de son dire, avait montré à la jeune femme son propre portrait, qu'il prétendait avoir conquis de haute lutte sur le légitime propriétaire. Il en était résulté une scène violente, au cours de laquelle Striga s'était emporté jusqu'à la menace. De là, le cri poussé par Natcha, et que le fugitif avait entendu dans la nuit.

Mais c'était là de l'histoire ancienne. Serge Ladko ne pensait plus aux mauvais jours depuis qu'il avait eu le bonheur de retrouver sa chère Natcha.

Le territoire de la Bulgarie lui étant interdit, l'heureux couple, après les événements qui viennent d'être racontés, s'était fixé d'abord dans la ville roumaine de Giurgievo.

C'est là qu'il se trouvait, quand, au mois de mai de l'année suivante, le Tzar déclara officiellement la guerre au Sultan. Serge Ladko, est-il besoin de le dire, fut des premiers qui s'engagèrent dans les rangs de l'armée russe, à laquelle, grâce à sa connaissance du théâtre des opérations, il rendit d'importants services.

La guerre finie, la Bulgarie enfin libre, il revint avec Natcha dans la maison de Roustchouk et reprit son métier de pilote. Tous deux y vivent encore aujourd'hui, heureux et honorés.

Karl Dragoch est resté leur ami. Pendant longtemps, il n'a jamais manqué de descendre le Danube, au moins une fois l'an, pour venir à Roustchouk. Aujourd'hui, les voies ferrées, dont le réseau s'est progressivement développé, lui permettent d'abréger le voyage. Mais c'est toujours en suivant les méandres du fleuve que Serge Ladko, au hasard de ses pilotages, lui rend ses visites à Budapest.

Des trois garçons que Natcha lui a donnés et qui sont maintenant des hommes, le plus jeune, après un sévère apprentissage sous les ordres de Karl Dragoch, est en bonne voie pour atteindre les plus hauts grades dans l'administration judiciaire de Bulgarie.

Le cadet, digne héritier d'un lauréat de la Ligue Danubienne, s'est consacré au peuple des eaux. Toutefois, rejetant la ligne, il a perfectionné les méthodes de combat. Il doit à ses pêcheries d'esturgeon une célébrité universelle et une fortune qui promet de devenir considérable.

Quant à l'aîné, il succédera à son père, lorsque l'âge de la retraite sonnera pour celui-ci. Par lui seront alors conduits vapeurs et chalands, de Vienne à la mer, dans les passes sinueuses et entre les bancs perfides du grand fleuve ; par lui se perpétuera la race des Pilotes du Danube.

Mais, quelle que soit la différence de leurs positions, des trois fils de Serge Ladko le coeur bat à l'unisson. Aiguillés par la vie sur des routes divergentes, ils se rencontrent toujours à ces carrefours : une même vénération pour leur père, une égale tendresse pour leur mère, un pareil amour de la patrie bulgare.

Milton Keynes UK
Ingram Content Group UK Ltd.
UKHW041447041123
431729UK00004BA/193

9 791041 822546